思いついたことを
考え続け
記した雑誌

1

7
見えないものと見えなくなるもの

65 低気圧と高気圧

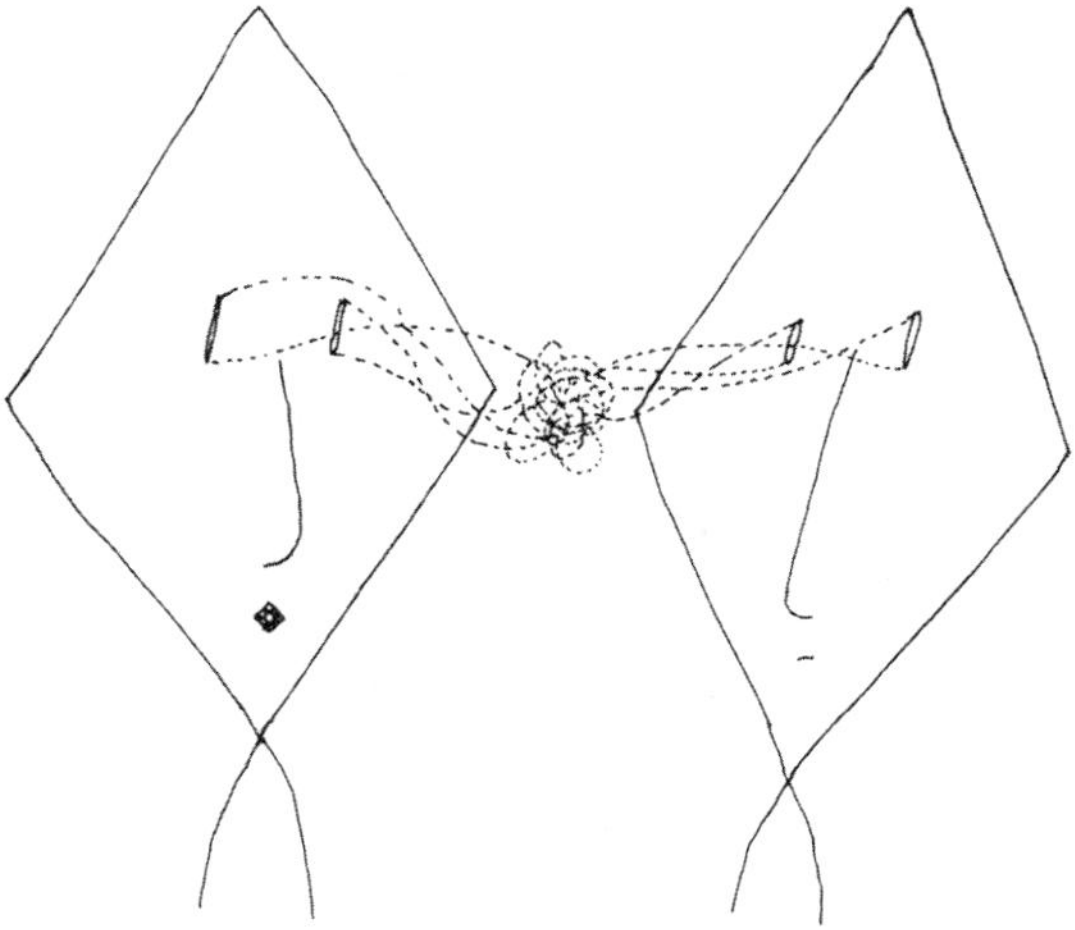

特集

見えないものと
見えなくなるもの

あとがき

『湯船で待ちあわせ』に添えて

小説『湯船で待ちあわせ』の湯船の監修、そしてあとがきの依頼までをいただいてとても嬉しく思います。たくさんの湯船職人がいるなかで、まだ駆け出しの私への連絡。大変光栄ながらも恐縮です。数々の湯船職人の顔を思い浮かべ、筆を取らせていただきます。

私は、湯船職人をする前は、豚を育て暮らしておりました。地域で頂く豚なので、わずか数頭です。みなさんは、豚ときくとまずお肉をイメージする方が多いと思われるのですが、家畜＝お肉ではありません。家畜とは、生きている間に生み出す価値のこと全てを指しているように思います。ですので、豚が生きている間、どのように過ごすと豚にとって良いか。それを来る日も来る日も考えるわけです。本作の主人公の佐竹さんも私と同じ、家畜（佐竹さんは牛ですが）を育てているところでとてもリンクするところがありました。湯船に入っていたお湯は、もちろん流すと、川へ、そして海へ流れていきます。私が豚を育てていたころは、流したお湯がすべて、豚が暮らす場所を通り、川へ流れていくので、お風呂で使うお湯にはとても気をつかっていたものです。

２０８０年ころまでの湯船は、みなさんが想像しやすいと思いますが、今から、30年前の２１００年前後から湯船の形は変化をとげてまいります。できるだけ少ないお湯で、お風呂に浸かった感覚を味わえるように。そして、環境に負荷がないような仕組みを考えるのが、私たち湯船職人の仕事です。湯船職人は、今では日本人口の５分の１になりましたが、まだまだ日本では進歩が遅れております。

『湯船で待ち合わせ』は、これからの地球のことを想う一編になったのではと僭越ながら、考えております。本になるということは、何十年、何百年もあとにも誰かに読まれる可能性があるということです。もっと先まで残る可能性もあるかもしれませんね。湯船の寿命は一般的に20年〜30年と言われているので、時代を超えて、湯船から目に見えないものを慈しみ、想像する世界が当たり前になっているかもしれないと考えるだけで、私は湯船職人であることを誇りに想うのです。

見えないものに取り憑かれた大人たち

何歳になっても、手探りで実験し学び続けることは楽しい。その題材として〝見えないもの〟を選び、おもちゃをつくろうと集まった、とあるエンジニア（65歳）と建築家（37歳）、それから編集者（36歳）のお話。

話者▼
北川聡一／エンジニア（以下そ）
北川浩明／建築家（以下ひ）
濱部玲美／編集者（以下れ）

見えないものと向き合う

れ▼改めて、総一さん（注1）とひろさん（注2）は各々別のスキルを持ちそれぞれの場所で活動しながら、一緒に会社を作られた創業チームであり、親子であり、とてもいい関係ですよね。

ひ▼そもそも父が会社を引退して何をやろうかってなった時に、僕が法人化しようと思っていたタイミングとも重なって「一緒にやろうか」という話になりました。

そ▼自分の基盤は機械工学で、息子は建築という分野が違うエンジニアリングをやっておりまして、二人の共通点のテクノロジーで何か社会にお返しできるような仕事ができたらなと。

れ▼最高ですね。会社名の『文化工学研究所』の、文化って言

注1…総一さん
とても真面目で少し照れ屋。話し出すと止まらない。野菜は消化に悪いからと残すことがある。

注2…ひろさん
イタリアに9年住んでいた建築家。古きものを愛しているゆえに、たまに服に穴が空いている。

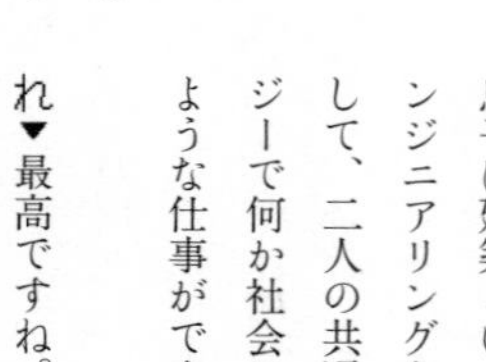

▶写真左／総一さん、写真右／ひろさん

葉がまたいいですよね。

ひ▼一般的にエンジニアって言うと文化に関係ないような感じがあって、機械とかでもエンジニアが作るものは色形にはあまり興味がないみたいなイメージがあると思うんです。一方で、美術とか意匠とかに関わっている人は、色形優先で、エンジニアリングと切り離しているような問題意識があって。数値化できない部分と工学を結びつけたら面白いんじゃないかと。そもそもその二つは分けることができないものなんじゃないかって思っていたので、文化工学っていう言葉を作ったんです。

れ▼そうですよね、かつては分けてなかったけれど資本主義経済の効率を重視した社会のなかで分かれていっちゃったんですかね。

ひ▼影響を受けた小林秀雄というフランス文学思想家がいるんですけども、その人曰く、アインシュタインが出てきたことでなんでも数値化できるようになった、と。4次元連続体とか時空連続体（注3）って言うらしいんですけど、タテ・ヨコ・高さの三次元に時間軸を加えて、空間や時間など全て数値化ができるようになった。その前のニュートンの時代は、3次元と時間というのは分かれていたらしいんですよね。今のGoogle Earthも一緒かもしれないですけど、

注3…4次元連続体／時空連続体

時空を4次元多様体としてとらえることを指す。連続体という考え方は古典的であるので、時空の量子論を論じる際には多様体という幾何学的物体を量子化して考えなければならない、らしい。難しい。ひろさんと話す時はじっくり聞いておかないと置いていかれる時がある。

▲ 文化工学研究所のHPより

何でも見えちゃうと言うか、わかった気になっちゃう。科学はすごく発展したけれども、科学の傲慢なところと言うか、現代科学の限界がでているみたいなことを聞いたことがあって。

そ▼僕の入り方はちょっと違いますね。本業の機械設計って、いかにも堅いイメージがありますよね。仕事をやり始めた時に自分がやってる事に少し葛藤があったんです。一見冷たいようには見えるけど「社会に機械を通じて貢献することだ」と、納得はしてたんですけれどね。それから40年ぐらい経って、息子といろいろ話をする中で、文化っていう言葉が出てきた。文化は英語で言うとcultureで、cultivateの土地を耕すっていう言葉からきてるんですよね。諸説ありますが、農業文化から工学が発達し、効率を追及してきたといわれているわけですけども、やはりそういうもののバックに、文化とか人間の生活を支えるような血の通ったものがないと工学にも意味がないなと思って。

天文学が広げた見えないもの

ひ▼父親の友人の柴田さん（注4）が京都大学の宇宙物理学の教授をやっているんです。京都大学が持っている日本で二番目に古く、１００年以上の歴史を

注４…柴田さん
京都大学理学研究科・理学部の教授である柴田一成さん。総一さんの大学時代の友人。物心つくかつかないぐらいから、「自分は何でここにいるんだろう?」とか「あの山の向こうはどうなってるんだろう?」ということにすごく興味があったと話すCINRA.NETの柴田さんの記事はぜひ読んでほしい。

説明してくれる？

そ▼明月記は、安倍晴明という陰陽師の子孫の藤原定家という歌人が書いた、日記の形をとったエッセイです。そこに、超新星（注5）が爆発しましたって書いてあります。文学から「超新星は昔から大爆発をしていた」と、一つの証明になったんです。ですから天文学と一言にいっても、そうした文学を研究することもあって、非常に学問的に広いんです。

ひ▼古事記をテーマにした音楽を作っている音楽家の喜多郎さんも、保存活動に関わってくださっていて、花山天文台でライブを開催してくださったんです。

もつ花山天文台というのが山科にあります。そこの建物が古くなってきたことと山科が明るくなってきて星が見えないということもあり、飛騨高山の方に天文台が移設されたんです。財源的にも花山天文台のほうがある種切り捨てられたようになったんですけど、やっぱり文化的に価値があるということで、柴田さんが保存運動をしておりまして、僕と父親もその運動に関わっていたんです。その中で宇宙物理学者や天文学者と対話をする中で、〝見えないもの〟っていうキーワードが出てきました。物理学って純文学みたいなところがあって、平安時代の藤原定家の明月記というのがあるんですけど…。そこら辺は、父さん

注5…超新星
大質量の恒星が、その一生を終えるときに起こす大規模な爆発現象。総一さんは、宇宙の話になると少年のような顔になります。

柴田さんが作った宇宙映像とコラボレーションしたライブでした。アートとサイエンスの両者は切っても切れない存在だと感じた体験から、〝見えないもの〟を題材としてみたいと強く思うようになりました。

見えないものから見えてくるもの

ひ▼〝見えないもの〟との接点については、これまた父親の知人が出てくるんです。同志社女子大学のメディア創造学科で教授をしている中村教授（注6）という方がいまして。彼自身は宗教学などにも精通する神学者でもあるんです。そこで中村教授とゼミ生と事務をされている中林さんと対話していくなかで、〝見えないもの〟を扱うことがより刺激的になるんじゃないかとか、感情を揺り動かすんじゃないかとか、それこそ感情をダイレクトに扱うようなおもちゃも面白いんじゃないかと、話になりました。

れ▼私が関わったのは少し後で、たまたま総一さんとひろさんが中村教授たちとオンラインで打ち合わせをしているところを窓の外（注7）から見て、〝見えないもの〟をおもちゃにするというキーワードが視界に入ってきた時に、ぞくぞくっとしたのを覚えています。元々、風だったり陽の光だったり、自然物をお

注6…中村教授
総一さんが学生時代にドイツ語を習っていた頃の同級生。卒業してからは年賀状のやり取りをするぐらいだったが、40年ぶりに再会して食事をするうちに盛り上がり一緒にプロジェクトをする話になったそう。総一さんの人脈の広さはすごい。

注7…窓の外
総一さんとひろさんとは同じ場所にオフィスを持つ。COCCA ninomiyaという3階建のスペースで「括弧を開いて繋げる共創の実践」を合言葉に、様々なスキルや年齢、所属のメンバーが集まる。もともとはトイレもついてなかったビル。

もちゃにするということはやってみたいと思っていたので、すぐに声をかけてしまいました。〝見えないもの〟というテーマにおいて、いろんな題材がある中で、いまひとつ、菌に焦点を当てていますね。

そ▼菌にしても宇宙にしても、元々人間にとっては見えないものだったんですよね。その二つの共通点として、菌を発見した顕微鏡も、天体を発見した望遠鏡も、１５９０年くらいにオランダで発明されてるんです。それを活用して天体を最初に研究したのが、ガリレオガリレイなんですよね。これが１６０９年のことです。一方で菌については最近調べてみたんですけど、レーウェンフックが１６７４年に顕微鏡覗いてて、微生物を発見したんですよね。そういうことを考えていくと人間は、〝見えないもの〟への探究心が強い。見えているものというのは自分で直接観察することができるのでそれほど興味は湧かないんですけども、見えないものっていうのは恐れもあるし分からないっていうこともあるので、探究心をかき立てるものだと思うんですよね。

れ▼面白いですね、私たちもコンテンツに落とす時に「どこまで分かりやすくしすぎないようにするか」ということはよく議論に上がります。だからこそ探求し続けられるというのを作り

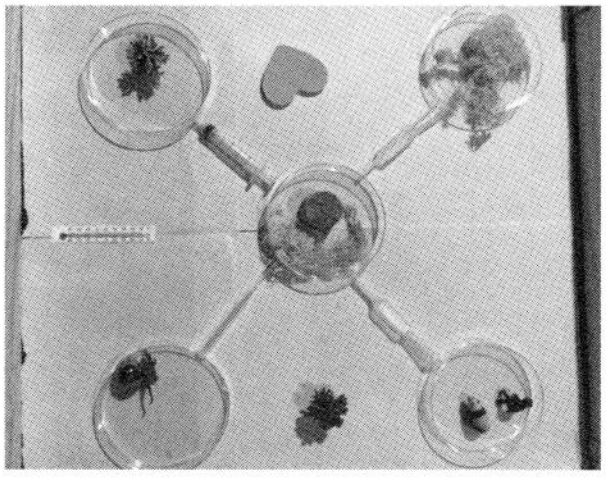

▶粘菌の移動経路を可視化する玩具ができないかと取り組んでいた試作品

出すこと自体が、ちょっとした人間のエゴなのかもしれないですけど。でもそういうところに挑戦していきたいなと思ってます。

ひ▼共生って言葉を普段よく使うと思うんですけど、その言葉は微生物学者が作った言葉なんですよね。菌の研究をしていく中で言葉を思いついて、その言葉にも４つのタイプがある。共生は双方が助け合うというイメージがあると思うんですけども、実際それだけではなくて、そういうタイプもあれば、片方は利益を得て片方は利益を得ないという片利共生だったり、一方は不利益や損害を受けるけど、もう一方には利害が発生しない片害共生というのがあったり。片方は利益を得て片方は被害を被るという寄生というものがあったりするんです。共生という言葉は実はそんなに綺麗な言葉でなく結構どろどろしていて、不気味だったりするところはすごく面白いなと思って。それが人間関係の中から出てきた言葉なんじゃなくて、すごく小さいものを研究する中で普遍性を持つ言葉が生まれて、物と物の関係性を言い表す言葉を発見したっていうのが僕はすごい面白いと思いますね。その辺りが今ヒントになってると思います。

れ▼私たちも真核生物（注8）ですから、菌から私たちが学べることはすごく多いと思いますね。

注8…真核生物
生物は、細菌類（ネンジュモなどのシアノバクテリア、大腸菌など）のように核をもたない細胞（原核細胞）からなる原核生物と、植物や菌類、動物などのように核をもつ細胞（真核細胞）からなる、真核生物に分けられる。もともと人間は見えないものだったのだ。

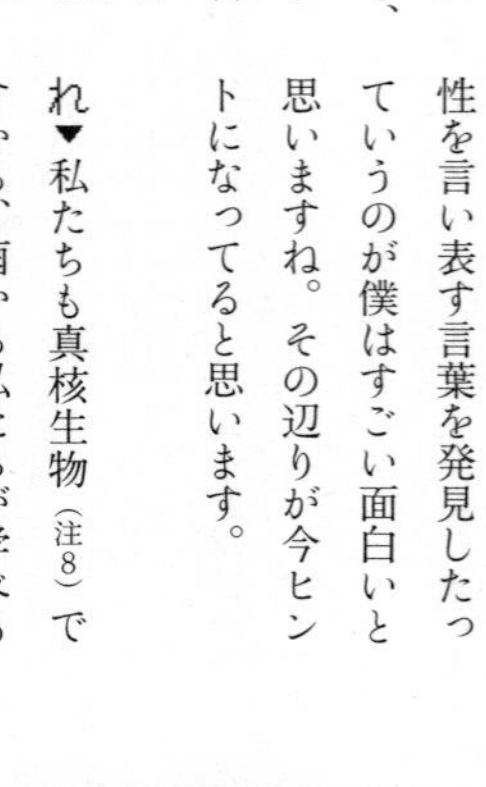

▶日常のいたるところに菌が潜んでいることを楽しむ菌フィルターのイメージ

見えないものを媒介として異なる能力を持つ人たちが語りあうことですごく良い方向に向かっている気がしています。こういう、見えないものを中心とした議論のあり方自体が、議論のスパイスになると思うんですよね。

ひ▼そうですね、どう次に繋がるかっていうのはまだ見えてないんですけども、一つ大きなパラダイムシフト（注9）みたいなのは自分の中ではあって。それは今回のコロナウイルスのことも影響してはいると思います。ティモシーモートンという哲学者が『自然なきエコロジー』という本を書いていて、その影響を受けてるんですけども、菌は不気味なものとされていますが、知れば知るほどより不気味になっていくと言っていて。元々は、知れば知るほど知っていることの範囲が広がっていくから不気味でなくなっていくと考えていたんです。ですが、ソクラテスの無知の知のように、知れば知るほど自分が無知であったということに気づいていくというか。よくよく考えると自分自身も不気味なものになってきて、なんかそっちの方がいいなと思ってきたんですよね。ちょっと話の次元が変わっちゃうんですけど、割とみんなゴキブリとかって嫌がるじゃないですか。自分が管理しているものの中に、不気味な不確定要素が入ってくるとめちゃくちゃ怖がるし嫌うけど、その状態ってよくないんじゃない

注9…パラダイムシフト
その時代や分野において当然のことと考えられていた認識や思想、社会全体の価値観などが革命的にもしくは劇的に変化することをいう。ひろさんは良く横文字を使う。最近会話にでてきた横文字は、アブダクション。

▶山や河川などに落ちている木や葉、石などの自然物の力を遊ぼうと企んでいる

かなってどっかで思うところはあって。もっと、自分とか自分の家族とかをも、不気味化していった方がいいんじゃないかとか思うようになったんです。近ければ近いほど自分がよく知っているものと思っているけど、そうじゃないよと。自分のことですらゴキブリみたいに不気味なものとして捉えていった方がいいんじゃないかなと。

れ▼最近特にそういう議論がしやすくなってますよね。元々見えないものを意識して生きてたんですけど、あまりそういうことを人に話すことってなかったんですよ。コロナウイルスの影響もあるのか今のほうがそういうことがすごく話しやすくなった。自分があって周りがあるではなく、周りがあってその中で自分が間借りさせてもらってるという感覚を共有しやすくなったというか。

そ▼花山天文台で研究している太陽は、11年周期で黒点（注10）の数が大きく変わるんですよね。ちょうど今は黒点の数が一番少なくなっているのでいろんな影響が地球上に出てくるんですけども、その影響でコロナウイルスが大きく変異したんじゃないかという説もあって。そういった人間には見えない、宇宙から飛んでくる電磁波とかの影響を生物はきっと受けてるんですよね。人間は自分たちだけじゃなくて、見えない微生物に支えら

注10…黒点
太陽の表面を観測した時に黒い点のように見える部分のこと。実際には完全な黒ではなく、この部分も光を放っているが、周囲よりも弱い光なので黒く見えるそう。弱い光の理由は、黒点付近の温度が太陽表面温度（約6,000℃）に比べて低いため。低いといっても、約4,000℃あるそう。熱すぎる。

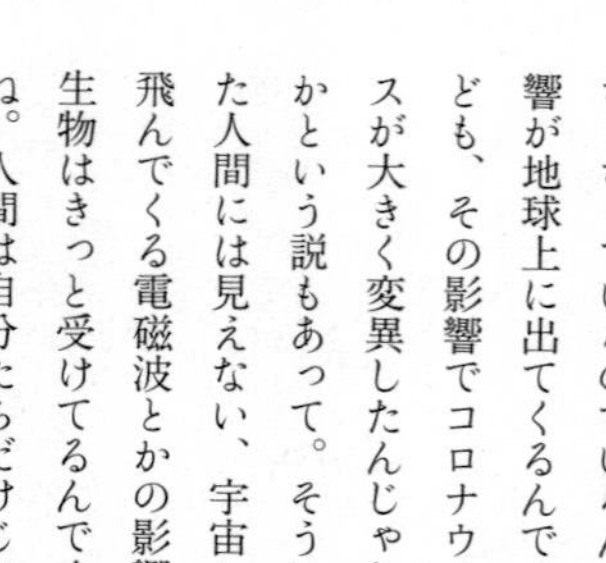
▶風や水、光などと一緒に遊ぶための媒介ツールとしての玩具を考えたメモ

れたりその逆もあるんですけども、影響を受けながら生活していると。見えないものがある一定の周期や法則のもとで、お互いに影響し合っているんじゃないかと思うんです。

れ▼面白いですね。そういったことも知れば知るほどますますわからなくなりそうですね。これからも、いろんな〝見えないもの〟をテーマに掘りさげて、生きていくうえでの種というか、そういうものを探索していけたらいいですね。

▶自然物の力を磁力に置き換え、自然物と共創することを提案する玩具の実験ワークショップの様子

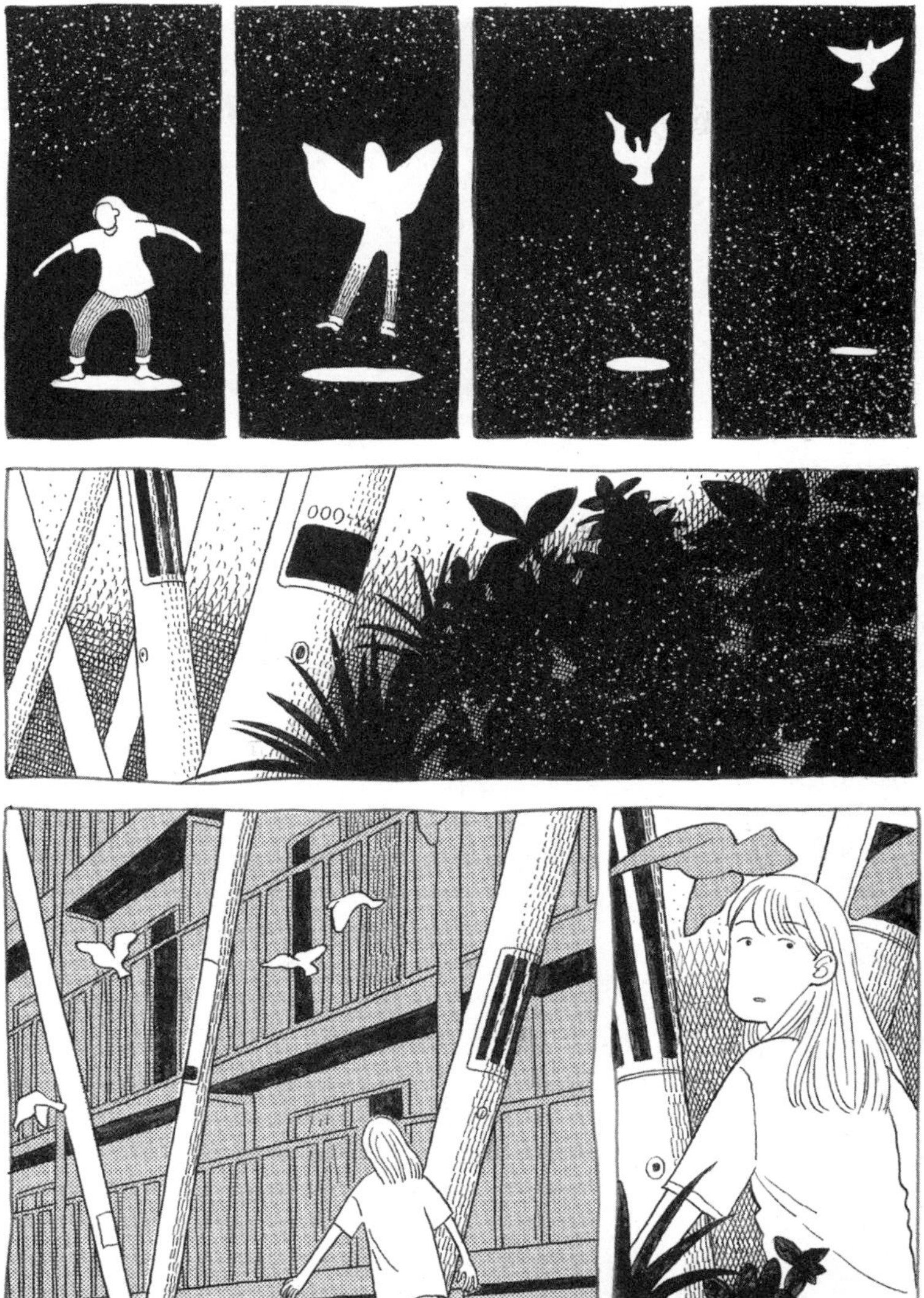

ガラッ

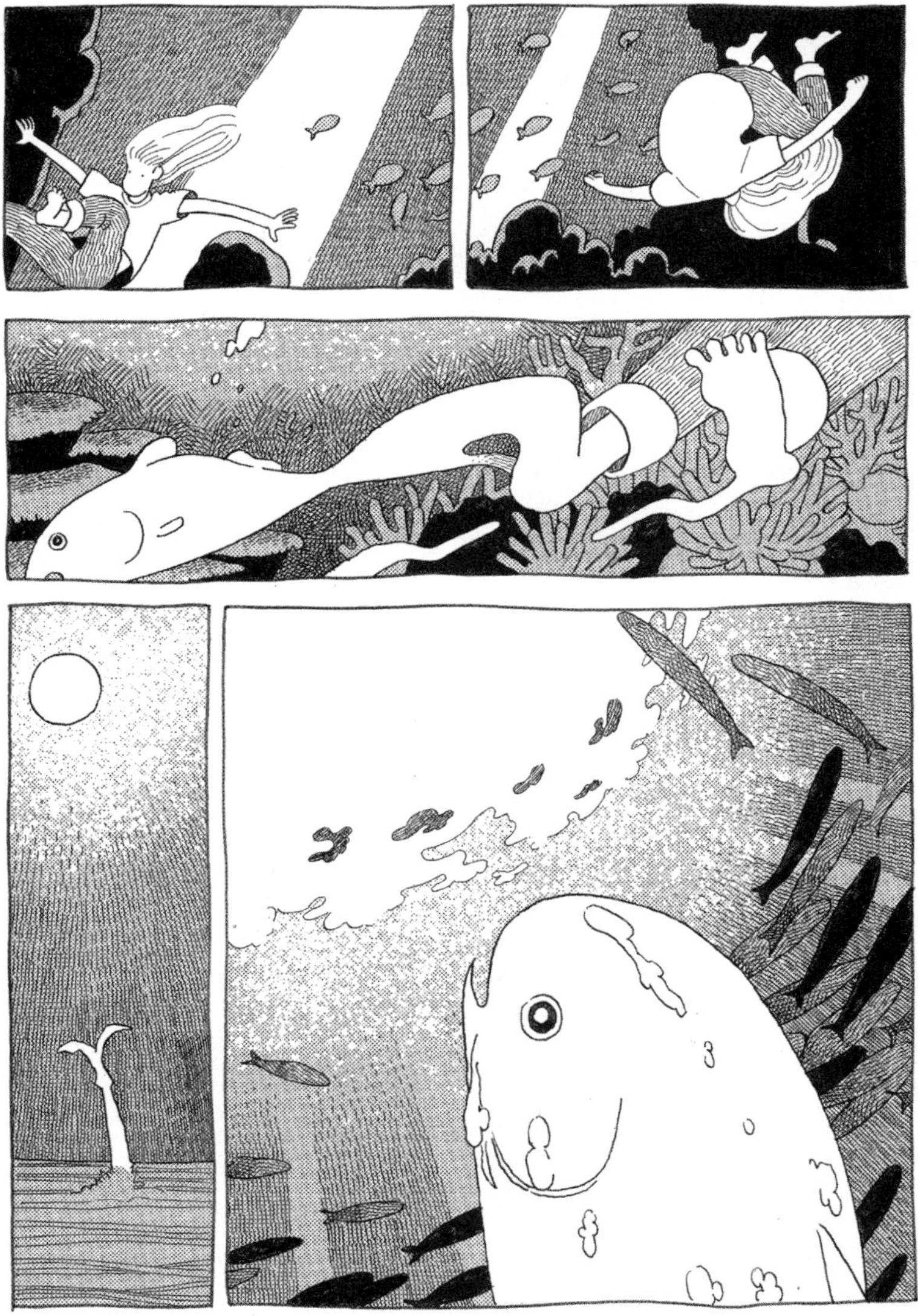

夢うつつ

作・森優

子どもの頃に見た妖怪のお話。

あの時は、どうもありがとう。

絵：ミキタナカ

29

今朝、息子が私の肩を枕に寝息をたてていた。薄暗くて静かな部屋のなかで、息の音だけが近いので遠近感がわからなくなってくる、なんとなく変な感じの気持ちいい時間だった。私が妖怪らしきものを見たのも、そんな時間だったような気がする。何歳くらいだったか、幼稚園か小学校低学年か、記憶が定かでないし、見たことも夢だったのかもしれない。父と母の寝室に布団を敷いて、妹と一緒に寝ていた日だった。それぞれ自分の部屋があった年頃だった気がするから、夏の暑い日にみんなでクーラーをつけようか、という感じで一緒に寝ていたんだと思う。

朝方ひとり目が覚めて、薄暗い静かな部屋にうっすら蛍光の緑色に発色しているものがいた。父のまわりに3匹（人）くらい。父と母はベッドに、私と妹は床に布団を敷いて寝ていたから、視界のちょっと上のほうに見えたその残像が今でもある。首をもちあげてしっかりそれを見たかったけど、気付かれたらいなくなってしまうことがなんとなく分かって、必死に目だけ動かして見た。3匹は、3頭身くらいで、頭がサイみたいに角が生えている動物で、からだは小人みたいな人間。手に道具をもっていて、えっさらほいさら父の周りを回りながら、その道具を父に押し当ててみたり振りかざしてみたり試行錯誤している感じだった。3匹の表情は読めなかったけど、楽しそうにというよりは必死に頑張っているような感じで、なんとなく応援したくなった。道具のなかには注射器みたいなものもあったような気がする。からだくらいある大きさの注射器を父になんとか刺そうとしていた。怖いか怖くないかでいうと、怖くはなかったけど油断はできないなと子どもながらに神経を研ぎ澄まして警戒していた。父はぐっすり眠っていて全然動かない。家族みんな寝息をたてている。もっと首を起こしてちゃんと見たい、もっとしっかり目に焼き付けたいと思いながら、私はまた眠りに落ちて気がついたら周りは明るくなっていてみんな起きていた。夢だったのかなぁと思ったけれど、目だけ必死に動かした記憶ははっきりしていた。母に話したら「最近パパ忙しかったから、治してくれたんちゃう」というようなことを言われたような気がする。母自身霊感が強かったこともあり、わたしの変な発言にはあまり動じず（内心ハラハラしていたのかもしれない）、わりとファンタジーの向こう側にいっても平気なタイプだった。むしろ、母のほうが向こう側によくいっていた。

子ども頃の目に見えないものとの出会いって、そう衝撃的なものじゃないんだろうなと思う。自分以外のものは未知数で、なんなら自分さえ理解していない世界で生きているから、自分の世界で線を切らない。道を歩いていたら郵便屋さんが通ったよ、くらいの日常的なものなのかもしれない。３匹を見た子どもの頃も、朝ごはんの時間の前に起こった我が家のとある出来事、くらいに思っていた。あの３匹って妖怪だったんだろうなと思うようになってから、その話を人にすることがあるけど、妖怪のことを話したいなって思う人とそうでない人がいるのは、妖怪がくれたひとつの生き方のものさしなのかもしれないと思う。

35歳になった今、妖怪を見ていない。というより、いるのに気づくことが出来ていないんだろうな。3歳の息子は、見えているのかな。見えていても、自分しか見えていないものだと思わず過ごしているのかもしれない。いつか大きくなって「え、あの食卓にいつもいたん見えてたん俺だけやったん」と言われてみたい。子どもの頃に見た3匹の妖怪たち、毎日家族のために必死に働いて疲れていたパパを、治してくれてありがとう。

とある、キュビズム

青松 知加

僕が、彼女を立体的に見るとしたら、どこから、どのように立体の線を引こうか。

青松　知加

まだ誰にも抱かれたことのない少女の頃から、

まだ僕とも出会ったことのない、彼女の注がれる視線、音、感動、興奮。

出会ってお互いの甲羅が剥がれて、軟体動物になりあった僕たちが語り合った今までのこと。

僕がどう描こうと、それは事実でしかない。

どんな母親で、ソースの匂いがして、前髪も可愛くて、

妹がいて、お母さんお父さんがいて、たくさんの犬も猫とも過ごして。

かけら。今から、見たことのない過去に遡り、
出会って過ごしてきた今までの道のりと大きな未来。
それこそが僕がとらえる彼女へのキュビズムだ。
僕はピカソが定義したキュビズムを信じるが、
僕が表現するキュビズムは、ピカソのそれとは同じではない。
難しく考えず、今の感覚をそれは研ぎ澄ましてきた、
観てきた大きな波がわき起こる、泉。

とある、キュビズム

ひとつの場所から見える、人間の目に写る世界だけでなく、その場所からは見えるはずのない様々な側面を同じ面に配した20世紀に生まれた新しい絵画様式、キュビズム。小さい頃にそれを見た時は、ちょっとおふざけして描いた一時的な行動の一片なのだろうなと思った。けれど、とても好きだった。計算された丁寧さとか繊細さはまだ子どものころには感じれなかったけど、アンバランスさがひとつの場所にあるふらついた感じが良かった。そもそも、感覚器官として眼が実際に見ているものは、私たちが見ていると思い込んでいた対象の姿とは違っていて、その情報のずれが、キュビズムの流れで画家たちが共有しようとした自覚であったと、とある本で読んだ。知れば知るほど、探れば探るほど、そのずれに気づき迷い込んで見えているものとのギャップが生まれてくるんだろう、面白い。視覚をどこまで信じるのか。誰かの視覚情報に、自分はどのように映っているのか。よくよく知る長い付き合いの友人にお願いして描いてもらった、とあるキュビズム。

けむりで まっしろ

さんまを焼いている。
もくもくもくもくもく。

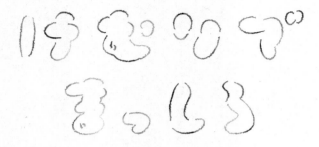

秋といえば、さんま。
じゅーじゅー。

じゅーじゅーじゅー。

さっきからけむりでまっしろだ。

パタパタ。

うちわで
パタパタ
あおいでも、
けむりでまっしろ。

うーん。
けむりでまっしろ。

いい匂いがしてきたぞ。

よし、
しゅーっと
すだちをかけて
いただきます。

参考文献：『雪がふっている』レミー・シャーリップ／青木恵都／タムラ堂

空気と自立

鎌田裕樹

〝空気〟とは厄介な存在です。同調を強要する、言外の圧迫。本当の善悪を誰も顧みないまま、息ができないほど張り詰めた言葉が生まれる。他者とのコミュニケーションに伴う、諦めにも似た許容と疲弊が生む、悪い循環。いつしか〝空気〟は澱み、不文律のルールとなって圧力を増していきます。

この文章を書いている現在、僕は28歳。本屋という仕事をアルバイト時代も含めて十年続けてきましたが、少し前に希望して正社員の立場を離れました。今は、相変わらず本屋にも勤めながら、フリーランス（編集・執筆など）として働いています。近いうちに自分の会社も立ち上げる予定です。人生の三分の一以上の時間を本屋として過ごしたわけですから、当然、愛着はあったわけですが、〝自立〟のためには、誰にも左右されない、しなやかな強さが必要でした。急にフリーランスになって不安はあるかと聞かれれば、なぜか慢性的に苛立っていた頃が嘘だったかのように、今の心中の方が穏やかだと、胸を張って言えます。常に腹に溜まっていた不満や不平等感はどこから湧いていたのか。それは、僕が〝空気〟に従おうとしていたからだと思い至ります。

周囲の声を気にしたり、空気に従わざるを得ないのは、結局、誰かが決めた価値観の中で生きているからです。誰かに認められたいという欲求を抱えるのは当然のことですが、ただ、それは深くなりすぎると、感受性すら誰かに委ね、必ずどこかで息苦しさを感じるようになります。

共感と個性、協調という言葉を盾に、各々の正義を抱いて、人はどこまでも暴力的になれます。そこから逃れよう、認められようと努力を重ねるうちに、心の優しい人ほど陥ってしまうのが自己否定です。尹雄大さんは『モヤモヤの正体』という本のなかで、空気という厄介な存在との付き合い方について、自己を肯定する重要性を書かれています。まず、自分を認め、他者の評価から解放されること。そうして、心の自由を取り戻す行動を、僕は〝自立〟と呼びたいのです。

「誰かの都合に振り回されるのはつまらないから もっと自分たちの力をつけようという事です」
「そうすればもっと自分の思うとおりに生きられるし だいいち気が楽じゃないですか」
「それが自立ってことだと思うし そのためにもっと勉強したいって思って」

これは『リトルフォレスト』というコミックから抜粋した主人公の言葉。農村で暮らすひとりの女性が自然に身を委ねながら、農業や料理と向き合い、それらと一体となって暮らす日々が描かれた物語です。フィクションとはいえ、著者の五十嵐大介さんの体験を基にした描写の端々に、自分が体感したものを語る者だけに許された、言葉に宿る責任を感じます。〝自立〟といえば、紹介したい言葉がもうひとつ。

「関係性が成り立つには、それぞれの自立が基本です」

これは島根県、木次乳業の創業者・佐藤忠吉さんの言葉。戦争と、その後の紆余曲折を経て、「腹(ハラ)の中まで責任を持てるものを作りたい」と語る忠吉翁は、本当の物だけを届けようと酪農と農業に取り組みました。その理念はどれも実感と責任に基づいた言葉で溢れています。

〝自立〟とは、驕ることではありません。大地に、自分の足で立つこと。人間も自然のなかのちっぽけな一部だと気がつくこと。現代の便利さに麻痺した僕たちは、そのことを忘れてしまいがちです。結局、実感をもってしか、人は何も語ることはできず、どれだけ言葉で着飾ろうが、薄っぺらいものは薄い。口にするもの、食べるものを育てることで、それらを実感として捉える農家の方々の言葉は、やはり強い。それは人ができる最大限の〝自立〟です。

また、忠吉翁の言葉にあるように、〝自立〟と〝共生〟が地続きにあることも忘れてはなりません。僕が師事している独立研究者の森田真生さんは、世界は錯綜する網（mesh）のように混ざり合う状態にあると語ります。そもそも僕らは絶えず、人間ではないものに侵されている。例えば、ウイルスという存在もそうです。腸内に無数の細菌がいなければ、私たちは口にした物を分解できずに死んでしまう。自然に息衝くものと同じ地平に立っていると自覚したとき、はじめて僕らはこの世界を自分の足で歩くことができます。

とはいえ、若者がいきなり〝自立〟を目指すのは、簡単ではありません。すでに〝自立〟した人や、纏う〝空気〟が澄んでいる人と深く関わり合うことで、少しずつ変容を続け、いつしか自分というものに出会うのだと思います。直接、誰かの話を聴くことが難しい場合は、本が役立ちます。本は、遠いどこか、知らない誰かの声を聴くための装置です。そうして、誰かの役に立つ本を紹介していくために、僕は今の働き方を選んだのです。

B ブックリスト

『見えるものと見えないもの　付・研究ノート』モーリス・メルロ＝ポンティ　みすず書房
『数学の贈り物』森田真生 ミシマ社
『自然なきエコロジー――来たるべき環境哲学に向けて』ティモシー・モートン　以文社
『オーバーストーリー』リチャード・パワーズ　新潮社
『モヤモヤの正体　迷惑とワガママの呪いを解く』尹雄大　ミシマ社
『「空気」の研究』山本七平　文藝春秋
『一市民の反抗 良心の声に従う自由と権利』ヘンリー・デイヴィッド・ソロー　文遊社
『リトル・フォレスト 1.2』五十嵐大介　講談社
『忠吉語録』野津恵子　DOOR books

透明に性をつけると、見えているものになる。

空気中の酸素は2割で、
10割になったら人間は　燃えちゃうんだって。

見えないから、
どこにも偏らないよ。

小さなそれによって、生かされも
殺されもする。

自分には、見えているもの。

羽

過去が一番近い未来って、漫画に書いてた。

墨

正体不明だけれど確かにいる、ダークマターという存在。

ミエナイコトバ

お天道様は見ているという言葉が好きです。

サワレナイ、テニトレナイガ、ミエナイトイウコト？

全てのものの輪郭に
ピタッとくっついているもの。

明るい星をむすんだ時だけに見えるもの。

止まっている時だけ、しっかりと見える。

盲信と過信。

裸のイ

昔の借用書はこれで書いたとか。

見えるようになった図鑑

見えなくなるものには、よく気づく。
見えるようになったものには、
気がつきにくい。
なぜなら、見えることが
当たり前だと思ってしまうからだ。
ほとんどのことは見えない、
でも、その輪郭に気がついたとき、
そのものや、その気持ちの輪郭が
ぼやっと浮き上がってくる。

53

眠気

父のお酒を飲んだあとの眠気の輪郭が見えるようになったのは、自分がお酒を飲むようになった二十歳ではなく、社会人になり、仕事を初めてからである。おばあちゃんち（父の母宅）でご飯をつつき、ビールを飲み、そのあと必ずリビングで顔を真っ赤にして寝る父を横目に、家に帰宅しなくてよくなったことを悟り、全力でいとこたちと鬼ごっこやかくれんぼをする子どもだった。

実家でお酒を飲んだあとのあの幸福感たるや。私は父のお酒を飲んだあとの、眠気を今受け継いでいる。実家でご飯を食べ、ビールを飲み、そのあとはリビングの床で突っ伏して寝る始末だ。「いつ帰るの？遅くなるよ」と母に声をかけられても、「まだ大丈夫」と変な自信で自分を甘やかす。年をとって見えてきたのは、父のあのときの眠気ではなく実家の安心感かもしれぬ。

考える人

一歩進んで前習え、一歩進んで偉い人、ひっくりかえってぺこりんこ～の歌を口ずさんでしまう二十代後半は私以外にも絶対にいると確信している。久しぶりにみた、ピタゴラスイッチの番組紹介文にはこう書かれている。『私たちがふだん暮らしている中には、不思議な構造や面白い考え方、法則が隠れています。番組では、人形劇やアニメ、うた、体操、装置などの多彩なコーナーで〝子どもにとっての「なるほど！」〟を取り上げ、子どもたちの「考え方」が育つことをねらっています。』知らず知らず、佐藤雅彦さんの本を手に取り、この人がピタゴラスイッチの生みの親だとしったとき、感動したのを覚えている。学童から帰って釘付けでみていた番組を作っている人がいたのか、と（当たり前なのだが）。おかげなのか、考え方が育った。私が大人になって見えたのは、考えることの面白さを伝える人の面白さである。

呼吸

『君の名は。』の生演奏のオーケストラバージョンを聴いているのですが、演奏している人たち、指揮者、歌う人を見ていると、感極まって涙が出そうになる。映画館では、見えていたのは映像だけ。でも、絵が、曲が、声が、全ての楽器が、人が、呼吸が、重なる。見える。ものづくりとはこういうことか。何かを作ることは、呼吸が重なっていくことか。私は、映画館で『君の名は。』を見たとき、演奏している人たちを想像できなかった。歩いているとき、一件のラインを返す。足先に石が当たってとんでいく。その石が音をたてて、勢いよく転がったとき、猫がかけていった。私は歩きながら、ラインを返したこと、猫が見えていなかったこと、とても後悔しながら、文章を書いた。

6月9日（火）

りんごを買う。

宇治川商店街のスーパーで

なるべく大きいりんごを選ぶ。

2個セットで498円、

品種はジョナゴールド。

6月10日（水）

角度や見え方を確認するために描いてみる。

明日ちょっとかじってみる。

共生

Illust by Natsuko Kanzaki

57

6月12日（金）

自分でかじってみた。

庭の土をとってきて、りんごを置いて描く。

これからは自分が描きたい時じゃなくで、

りんご的に描かないといけない時に

描くことになるかも。

TALK

「見えないことと見えなくなること」

思考記編集部 れみとかのこの 話す 編集後記

見えないものと自意識

れみ（以下れ）：かのこちゃん〝見えない物〟やってなにが良かった？？

かのこ（以下か）：基本全部見えないんやなって思いました。見えてるものってほとんどないんやなーって思いましたね。

れ：うん。一生考えるテーマっていうか、一生そばにあってこれからもそばにあることと言うか。

か：見えないものって聞いた時に、宗教的なこととか霊的なこととか、そういうファンタジーの方なんかなーって思ってたんですけど、それこそ感情とかも見えないものやし、流される空気も見えないものやし、見えないものに包まれて生きてるんやなっていうことを感じましたね。

れ：見えないの、〝ない〟っていうのがネガティブに捉えがちというか、理解できないもののイメージがあったけど、見えないものってめっちゃポジティブに捉えられるよね。また言葉についても考えたいと思ったな、言葉と行動とか、言語と非言語とか。そういえば、トイレの中で考えてたことがあって。見えない蓄積が人間を作ってるやんって思ってん。例えば、「この人こういう本読んで過ごしたんやろな」とか「この人こういうお母さんに育てられたんやろな」っていう蓄積が表面に現れてるやんか。学生の時にめっちゃニキビに悩んでて、お母さんに隠れて美顔器買ったりしててん。それも自分はめっちゃ必死で行動してるって思ってたけど、全部すぐの解決を求めすぎてたなって気づいた。でも人一倍努力してるってその時は必死やったんやんか。コンプレックスの塊やから。なんかそういう見えない蓄積を全くやってなかったなと当時を振り返ったら気づいてん。自分が見えて実感できることしかやってなかった。見えないことの蓄積を、子どもとか学生の人や多感な時期の人たちにどうやって伝えるかを考えるのって面白いなと思って。

か：この前ある文章で自意識のことについて書いたんですけど、自意識って年齢とともになくなっていくと思っていて。自分の顔にできたニキビのことなんて誰も何も思ってないのに心配になってしまうみたいな気持ちは、年齢が若い時に強いなぁと。あの自意識って何やったんやろなっていうのを最近思ってます。慣れで自意識はなくなっていく?おじいちゃんおばあちゃんになっていくと人に見られていることも、どんどんどうでもよくなっていくのは…生きてる慣れ?なんですかね?

れ：慣れはあるやろなぁ。小さいとき飛行機になれるとか、宇宙になれるとかって、目指す物が人間じゃなかったりなんかすごすぎるのに、大きくなるとそういうこと言わんくなるやん?それも慣れやと思う。全部見えてると勘違いして慣れちゃってる気がする。

か：前に話してた、外で野糞するうんこ研究家の伊澤さんも、人からどう見られるか気になってないからで。何か強烈な思想に出会った時に、自分が気にしてたことも気にならなくなるというか、それよりも自分がなすべき事をしようと思えるようになるんですかね。

れ：そっちがしっくりくるなぁ、見えてる視界が違ってくるっていう感じやろな。

か：お母さんが、自分の子ども産んだ後は自分の身なりよりも子どもの方を優先したいとかもそうだと思いました。自分を満たしていた自分よりも、それ以上のものに出会えた時に自意識の持ち方が変わるっていうことを考えると、若い子たちの自意識問題っていうのは、思想とか経験とか大事にしたいものとか、何か強烈なものに出会ったとき解決するのかなあ。何かに没頭していると自意識は減っていくんかもしれないな。

れ：自意識ってなんやっけ?

か：私が今使ってる自意識っていうのは、自意識過剰の自意識のことで、自分がどう見られてるか、他者にどう思われてるかを気にすることでしたね。

れ：そっか。自分自身に対する観念で人からどう思われてるかと、自分自身がこうありたいの戦いなんかな。

か：こうありたいっていうのを捨てることができないから、苦しいもんかな〜。

れ：「こうありたい」捨ててる？

か：そこでいう「こうありたい」っていうのは向上心としての気持ちというよりかは、「人にこう思われたい」とか、他人からの評価を求めていることですね。こう見られたいとかは全くないですね。

れ：マズローの欲求の五段階でも承認欲求の上に自己実現欲求があるし、自意識のあり方は変わってくるんやろね。

か：前社にいた時に、自分に期待せんことが一番自分を伸ばす方法なんやなって思って。「自分はこれできるかもしれん」って期待して自分にがっかりするっていうのは、取り越し苦労かなと。普段から自分にがっかりはするけど、ただ、がっかりするのを怖がって何かに挑戦できんくなるのは、よくないと思ってます。いろんなことをやる自分に対して過度に期待しすぎず、色々やった方がいいなって思いますね。いつも何事にも、「成功するんやろな」っていう前提じゃなくて「まあ多分失敗するんやろな」と前提があります。失敗は多分するなって思うという意味では、自分に期待しないですね。

れ：成功だけが答えじゃないもんね。成功しない＝がっかりでもないと思うから、失敗も含めていっこやから、ガッカリするシチュエーションがないというかね。

か：そうですね。ここやっぱり甘かったなとか、振り返りはあるけど、「自分は出来る出来る」って思い過ぎないとか。期待に答えすぎないように思っておくっていうのは一個大事やと思うようになりました。

人間は生物の一部

れ：息子がさ、たまに蟻んこを潰しちゃうんやんか。やっちゃったっていうのもあるし、なんの悪びれもないときもあって。ただ一つの命が終わっちゃってる。俯瞰してみると私たちの命もすごい一瞬やんね。蟻んこにもわたしらみたいなもがきがあるんやろなと思ったら、なんか泣けてきたことあってさ。そのときに思い出したんが、人間の利己的な行動は避けるべきなのかってことについてスローフード日本の代表めぐみちゃんと話したことで。「何で利己的があかんの?」って言われて、人間のおいしいを尊重すべきやし、そのおいしいを守るために人間以外の生活を理解してスローフードがあるんじゃないかって話がずっとはいってきてんな。人間は生物の一部で、人間は人間で思い切り面白いことやって楽しむべき。でも周りへの配慮なしにやってしまってるんじゃないかっていう疑問はずっとあって。人間の楽しみも他の生物が持っているようにあるはずやから我慢しすぎる必要もないなぁて思って。人間の生物としての本能に正直にね。

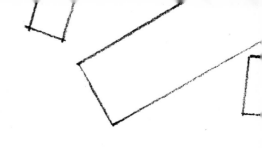

か：タバコをポイ捨てする人とか見るとすごい自分主義やなあと思うんです。

れ：そういうの落ちましたよ、って言う?

か：いえないんですよね〜それが。あれどんな気持ちですか?

れ：みんなが同じ方向を向くのはたぶん無理やろから、落ちてたら私らは拾うって割り切ってるほうがいいって思ってる。それ見て誰かが「あかんかったんかもなー」って思うかもしれんしな。

か：同じ人間で大きな思想と異なるのは全然おかしくないと思うんですけど、ゴミを捨てるみたいな、すごいちっちゃいことに違いがでるっていうのがすごい驚きなんですよね。

れ：人殺すとか殺さないとかそういう大きいところの違いじゃなくてってことね。

か：そんなちっぽけなことやのに、というか。同じ人間なのに、ゴミを捨てるっていう些細なことに違いが出るっていうのが、衝撃で。人間にインプットされてないんでしょうね。子どもを産むためにはセックスするっていうことはインプットされているけど、自分がどうするかみたいな事になった瞬間に、些細なことに違いが出てくるのかっていう。それも生理機能として一つ置いておいたら良かったのにって思うのに。

れ：インディアンとかは当たり前にインプットされてたんかもね?

か：食べたらおしっこするとか

うんちするとかと同じぐらいのレベル感で「タバコ吸ったらゴミ箱に入れる」とインプットされてたらいいのにって思います。それくらい人間は自分の考え方っていうのを尊重されて作られたんだなとつくづく思いますね。

れ：お坊さんとか、宗教によってはセックスせんっていう人もいるやんか。自分の欲求さえもコントロールできるんやろね。何十年も何も食べてない人もいるもんな。

か：その食べないって言うのも、結局思想にもとづいているわけで、生理機能ではないから、生理機能的に動物はゴミはゴミ箱にいれるとかはそもそもないじゃないですか。

れ：ハキリアリっていう大量の葉っぱを巣に運んでキノコ育ててる蟻がいて、その中に他の蟻が一生懸命葉っぱ運んでるのに一匹だけ全然関係ないものを運んでるっていう話が動物図鑑の中にあって。それって人間のマジョリティからしたら、タバコ捨てるとかっていうのもありえへんけど、そのハキリアリも「みんな苦労して運んでるのになんで関係ないもの運ぶん？」みたいなのもいるわけで。人間以外の他の動物でも変なことやっちゃう生き物はいて、それが生き物なんじゃないかって思ったりもする。

か：でもそうなったときに、他の生き物が違う物運んでても「それ違うんちゃうん？」とか思って運んではいないと思うんですよね。

れ：仮説でしか考えられんけどね。脳の大きさとかもあるしね。「なんでなんやろ？まあいっか」みたいに思ってるかもね。

か：「外で歩くときに裸で歩くのはおかしい」くらいのインプットをものをポイ捨てすることにもできんかったんやなって思うというか。

れ：裸恥ずかしくなったのっていつからなんやろな。

か：それも自意識ですね。

れ：今でも裸で暮らしてる民族はいるしね。その人たちが捨ててるごみって地球にかえるから、きっと捨ててもいいものやしね。私らが作ってるものとか使ってるものが土に還らないものが多いからゴミ捨てたらあかんくな

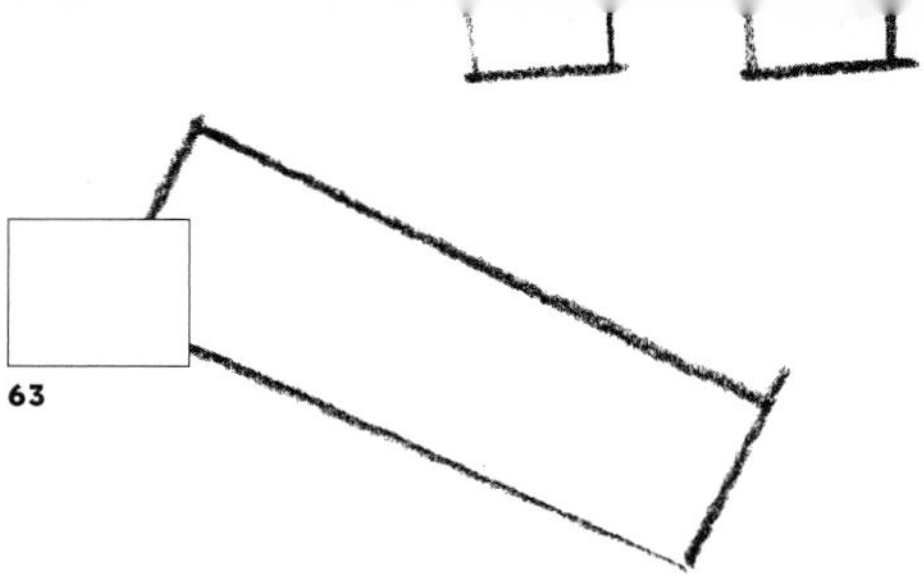

ったんやろな。
か：そうか、だからタバコも地球に還るようにしたらいいですよね。還るんかな？
れ：アメスピとかは還るんかな？ほとんど化学薬品つかってない無添加のたばこってうたってる。
か：コンクリートやから土にも還らないですよね。
れ：伊澤さんみたいに、お尻を葉っぱで拭くくらいの覚悟でやってたら逆に何捨ててもいいっちゅうことやな。
か：そもそもなんで地面って全部コンクリートなんですか？
れ：車が走るとき走りやすいとか、効率性かな。今までは獣道でくねくねいかなあかんかったのを、まっすぐにすると。で、そのまっすぐな地面も車は通りにくいから地面固めると。それでもまだ走りにくいから地面をがちがちにコンクリートで固めたんじゃないかな。あと今は地下に経済圏があるやん、駅とか配水管とか電気とか。それは土じゃなりたたないんじゃない？人工物でくぎらな。
か：今の技術をもってすれば土がボコボコでもスムーズに走れる車が作れるはずやのに、一括としてより安い方に行ったんですかね？コンクリートにするとか。
れ：試行錯誤を重ねて今に至ったんやろな、まあでも一気には変わらんやろけど徐々にあり方は変わるんじゃないかな。それこそ地面介さず飛んで移動とかもありうるかもしれんしね。
か：もしオンラインが発達しすぎて長距離移動とかがなくなったら、ちょっとの距離やったらどんな道でも歩けるじゃないですか。
れ：道路破壊運動やったら？(笑)
か：あれって捕まるんですかね？
れ：捕まると思う。公共物やからね。

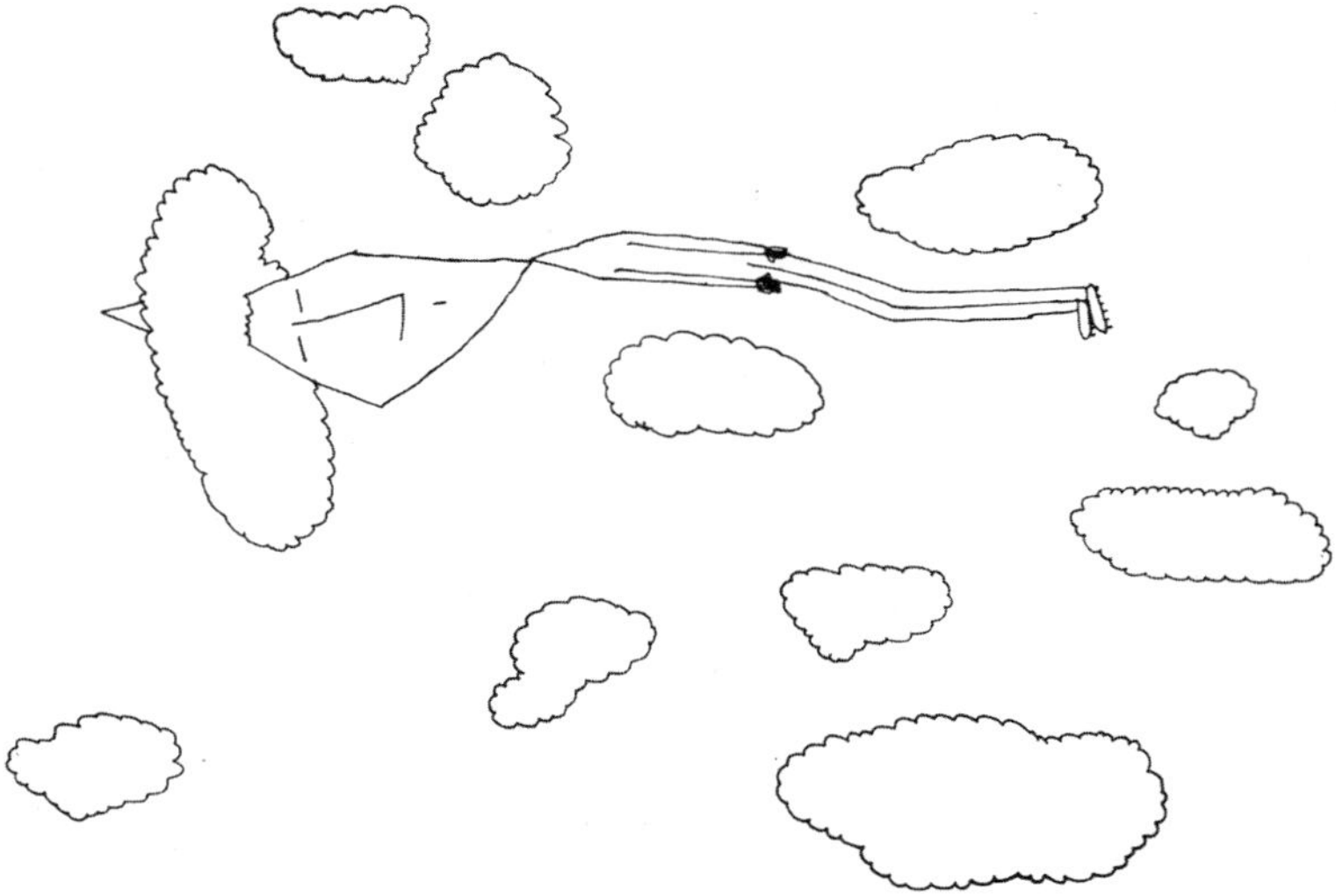

特集

低気圧と高気圧

空気に おんぶにだっこ

makomo

空気に重さがあるから地球の引力によって
地球にとどまっているんじゃ
すごい量あるみたいに感じるけど
重さ感じないけどなァ
それは体の中にある空気が同じ力で中から押し返してるからじゃ
中の空気で
なんかいまいち納得できないなァ
まあ空気の中で生まれた地球のいきものたちは
そういう体になっているとしか言いようがないのう
スー
スー
そんなもんかなァ

今日も空気がおいしいなー
地球に空気があるのは引力のおかげじゃが
なんで引力があるのかは まだわかってないんじゃ
スー
ヒー

鳥たちを追え！

交通事故などで怪我をした鳥たちをリハビリし、放鳥し、追跡まで行う*放鳥's*を知ってるかい？　鳥を治療して終わりではなく、毎日毎日、来る日も来る日も鳥たちが生きているか、何事もなく過ごせているかを、確認し続けて追う。鳥の特性を知っているからこそ、できる技。野生復帰した鳥たちを見かけた時、「生きていてくれたんだ、とほっとする」と話す放鳥's。鳥たちを追いかける*約1ヶ月の記録。*

○トビ12号記録

2019年（令和元年度）

日付	曜日	天候	エサ	量（g）	BW（g）	治療・リハ	備考	預かりからの日数	放鳥からの日数
受取時情報（2019年12月12日）	木				-	インピング	2019年12月19日に、新旭のバイパスにおいて、回収。レントゲンにより右翼尺骨近位の関節付近で骨折を確認。救護医がインピングで固定。		
12月31日	火				-	確認	軋轢音あり。再度固定し直す。		
2月1日	土				-		夜より放鳥'sで預かり。	1	
2月2日	日		ムネ肉		-	足革装着 伸展運動 羽ばたかせ	羽ばたかせてみると左右差は大きくある。しかし、他動的伸展運動をゆっくりと続けるとしばらくしてから、かなり開くようになった。左右差は正常側（左翼）の145度に対し、患部側（右翼）140度であり、大きく左右差がないことを確認。当初は、二頭筋の腱部分にどう影響を及ぼすか心配であったが問題ない様子。また、入院中の羽の破損もほぼないため、即座にリハビリを開始することができる。フードをかぶせることで管理していく。	2	
2月3日	月		ハツ レバー			伸展運動 羽ばたかせ	右翼は伸びにくい。肘関節の外側から翼膜縁までの幅に少し距離がある。（右翼5.5㎝、左翼5.0㎝）仮骨形成による可能性もあるが、事実角度等にも若干の差がある。	3	
2月4日	火		ムネ肉	98		伸展運動 羽ばたかせ		4	
2月5日	水		ムネ肉	100		伸展運動 羽ばたかせ		5	
2月6日	木		ムネ肉	102		伸展運動 羽ばたかせ		6	
2月7日	金		ムネ肉	104		伸展運動 羽ばたかせ		7	
2月8日	土		ムネ肉	100		伸展運動 羽ばたかせ ラインフライト	夜も外で飼育を開始。テストフライトを行ったが、あまり飛ぶことができない。腕に据えた時の感じや羽ばたき音は悪くない。夜に消炎剤（オンシオール）を投与。	8	
2月9日	日		ささみ	102		ラインフライト	昨日と違いよく飛べている。20m以上も優に飛べる。下がったところから浮くこともできる。ただし、だんだん右に曲がり、正面の壁を避けられずにあたったりする。飛べるようになったのは消炎剤の影響もあるかもしれないが、天候やフライト方法によるかもしれない。右に曲がることとは、右の患部側の可動域が少し制限されているため、左の翼がよく空気をかけるため、右に曲がっていくものと思われる。またその補正の仕方がまだわかっていないので、そのままぶつかってしまうものと思われる。※消炎鎮痛剤	9	
2月10日	月		ムネ肉	100		羽ばたかせ		10	
2月11日	火		ムネ肉 ウズラ	110		ラインフライト	2日前よりもうまくコントロールして飛べている。向かい風の場合は、特に地面からでも高く舞い上がることができる。放鳥できる可能性が高い。消炎鎮痛剤1/4	11	
2月12日	水		ムネ肉 ウズラ	110		羽ばたかせ	消炎鎮痛剤1/4	12	
2月13日	木		ムネ肉 ウズラ	100		羽ばたかせ	消炎鎮痛剤1/4	13	
2月14日	金		ウズラ	60		-	消炎鎮痛剤1/4	14	
2月15日	土		ウズラ ムネ肉	90		羽ばたかせ ラインフライト	レントゲン、フライト。仮骨形成は十分できている。フライトも良い。消炎鎮痛剤1/4	15	
2月16日	日		ウズラ ムネ肉	100		羽ばたかせ	消炎鎮痛剤1/4	16	
2月17日	月		ハタハタ メギス ムネ肉	100		羽ばたかせ		17	

2月18日	火		ウズラ ムネ肉	100		羽ばたかせ		18
2月19日	水		ウズラ ムネ肉	108		羽ばたかせ ラインフライト		19
2月20日	木		ウズラ	85		-		20
2月21日	金		ウズラ ムネ肉	100	1000	ラインフライト	コントロールし、しっかり飛べている。	21
2月22日	土		ウズラ ムネ肉	100		ラインフライト	コントロールし、しっかり飛べている。	22
2月23日	日		ウズラ ムネ肉	90		羽ばたかせ		23
2月24日	月	晴	ウズラ	99		放鳥	発信器（142MHz帯）とカラーリング（赤:H15）を装着し、15:20 保護場所付近の土手から放鳥。段ボールの蓋を開けると即座に飛び立ち、対岸（左岸約200m）の竹藪にはいる。しばらくカラスたちが騒いでいたが、15分ほどでおちつく。しっかりと飛べている。トビやカラスが近くにモビングに来たがアクシデントはなし。17:05 同じ竹藪で発見。そのまま就寝となった。	24
2月25日	火	晴/雨					23:00 放鳥場所付近の右岸で受信。	25
2月26日	水	曇/雨					7:00 昨晩と同じ場所で受信するが姿見えず。12:00 同じ場所で受信。河川の木の根元で発見。こちらと目が合い、対岸に飛ぶ。初日と同じ竹藪へ移動。トビのペアが追いかけて近くを飛ぶが、すぐに離れていく。飛翔は少し硬く見えるが、問題なし。	26
2月27日	木	雪/雨					7:00 右岸の昨日朝と同じ竹藪。捜索すると、竹藪上部から上空に飛び出る。帆翔を確認。しっかり飛び、移動していき電波も弱まる。ただし、受信範囲にはいる。22:00 右岸の就寝竹藪にいそう。（もしかしたら左岸側の対面の竹藪。）	27
2月28日	金	晴					7:00 左岸の竹藪。	28
2月29日	土	雨					12:45 左岸竹藪バイパス側の下の倒木にとまっている。飛んで逃げて竹藪の上へ。13:30 右岸竹藪バイパス側の木の上で発見。	29
3月1日	日	晴					15:00 左岸竹藪の下のほうにとまっている。近づくと逃げて奥の木の上の高いところへ。	30
3月2日	月	晴					7:15 左岸の竹藪。12:30 約400m上流右岸竹藪（下のほう）。16:30 右岸竹藪から100m下流の木の上。他のトビのモビングにあっている。飛び立ち真上を帆翔して右岸竹藪の中へ。	31
3月3日	火	雨					12:30 左岸の竹藪付近の木の上。真下に肉を置いてトレイルカメラを設置。（カラスが食べた）17:40 対岸右岸の竹藪。23:40 左岸竹藪で就寝。	32
3月4日	水	雨					8:10 左岸の竹藪下付近。12:20 朝と同じところ。地面にいた。飛んで木の上へ。飛翔が少しアンバランスに感じる。雨で羽が濡れているため心配。17:45 昼と同じ枝にいる。	33
3月5日	木	あられ					7:00 左岸の竹藪からバイパスを越えた河川敷の上を帆翔し、電柱の上に。しばらくしてから他のトビがモビングに来て飛び立つ。上空で二羽がからみながら飛翔し、竹藪の上部へとまる。12:10 鳥居楼付近を広く受信。電波が動くため飛んでいるようにも思えるが、姿は確認できなかった。19:40 リバーサイドと川島の間あたりの竹藪にいる。放鳥場所を中心に各方向に行動範囲が広がってきている。	34
3月6日	金	曇					7:00 昨晩の場所から少し移動し、リバーサイド内の放鳥ズリハビリ施設からかなり近いところの電柱の上にいる。右翼翼端がよく落ちているのがわかる。モビングに来るトビやカラスはない。風に乗って昨晩のねぐらの方向へ飛ぶ。12:30 鴨川南側集落の中の小さな竹藪の中の木にいる。高さ5mほど。21:00 鴨川横集落の竹藪の中の高さ1.2m程の低いところにいる。逃げて、屋根上へ。滑って再度飛ぶ。23:30 鴨川南の堤防竹藪の中から受信。	35

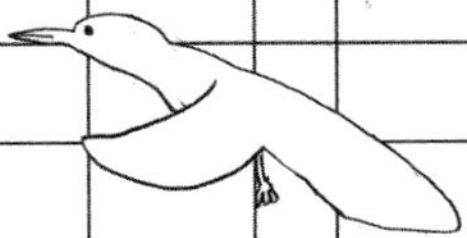

3月7日	土	晴					7:30 鴨川の河原に降りている。１時間ほど観察するも動かず。空腹や体調不良を考え、捕獲に向かう。飛んで逃げて河原の中の木の上へ。餌を投げる。食べに降りる。しばらくすると他のトビが奪いにくる。食べたかどうかは不明。その後、ハタハタを投げると持って逃げる。その後、しばらくするとかえってくる。一応餌を置き立ち去る。16:00 同じところの木の上にいる。	36	13
3月8日	日	雨					9:00 鴨川横の集落の竹藪（川側）にいる。少し高め。こちらから逃げて、屋根の上へ。14:00 同竹藪の一番東の道路側へ。餌を投げておき、帰る。食べたかどうかは不明。	37	14
3月9日	月	晴					7:00 鴨川横の屋根のテレビ八木アンテナの上にいる。桑原から（約2.8km）からも受信。餌だけ投げておき、帰る。12:10 いない。鴨川ファームマートまで行き、そこから饗庭の交差点までバイパスで戻り、旧道を走って、市役所へ。受信なし。20:30 新旭の教習所横の安曇川堤防の高い木で受信。	38	15
3月10日	火	雨					7:10 昨晩と同じ場所で発見。他のトビも近くに１羽いる。右翼もさほど落ちていない。17:45 安曇川常安橋南側の工事現場で他の多くのトビと一緒に地面で採餌をしている。何を食べているのかは不明。他のトビよりも濡れているのが気になるが飛べている。18:00 不安もあり少し餌を投げてみようと、餌を買い戻ってきたときには、常安橋南側の竹藪に戻っていた。（昨日のねぐらとほぼ同じ）	39	16
3月11日	水	雨					7:05 昨日夕方にいた工事現場の地面に一羽でいる。空腹と思い餌を投げるが、どこからか他のトビがきて奪っていく。雨でかなり濡れているが、飛んで逃げることはできる。12:40 昨日のねぐら側（常安橋北側）の竹藪にいる様子。電波から。17:45 常安橋南側の工事現場の木の上にいる。近くにいくと飛んで、そのまま綺麗にねぐらの常安橋北側竹藪に入る。ひとっとびで、多く羽ばたくわけではなく帆翔で綺麗に入っていく。	40	17
3月12日	木	晴					7:20 昨日のねぐら付近から受信。12:20 川と河原の間で多くのトビと採餌していた様子。しばらくすると飛び立ってねぐら側の木の枝へ。集団の真ん中には大きな魚の遺体がある。17:45 ねぐら側から受信。姿は見えず。	41	18
3月13日	金	晴					7:00 昨日のねぐら付近から受信。12:20 常安橋北側堤防の桜。いつもの竹藪より少し上流あたりにいる。そこから飛び立ち上空へ上がる。上流。（下古賀と新旭井ノ口の境界あたりで強く受信）21:00 常安橋北側の堤防で就寝。最初にこの場所に来たときのねぐら。	42	19
3月14日	土	晴					7:00 昨日のねぐらあたりから受信。13:00 安曇川大橋新庄側の桜にいる。21:00 鳥居楼付近で強く受信。	43	20
3月15日	日	晴/雨					7:00 安曇川大橋新庄側の電柱にいる。19:00 新庄トヨペット横の竹藪で就寝。	44	21
3月16日	月	雪					8:15 新庄トヨペット付近でおそらく安曇川堤防から受信。12:10 新庄付近で広く受信する。場所の特定まではしない。23:00 常安橋南側の竹藪にいる。受信範囲的に少し上にいる様子。	45	22
3月17日	火	晴					19:30 常安橋南側の墓地より線路側にいる様子。広く受信。昨日よりも少し線路側にいる様子。	46	23
3月18日	水	晴					10:30 安曇川大橋付近でアッテネーターなしでかすかに受信している。22:00 広瀬橋南側少し上流に位置している。放鳥場所および保護地からは、約5km上流にあたる。昨晩ねぐらにしていた場所からは、約3.7kmにあたる。	47	24
3月19日	木	晴					25:00 五十川区の山にいる。北船木で受信したため、受信距離は約6ｋｍ。高いところにいたため電波がよく飛んだと思われる。	48	25
3月20日	金	晴					26:00 安曇川南流下流の新北川橋100m上流の左岸竹藪にいる。	49	26

3月21日	土	晴					24:00 安曇川下流の北流と南流の別れ口の竹藪にいる。	50	2
3月22日	日	晴					7:20 安曇川南流下流にある北船木漁業組合の上の木に集団でいる。多すぎてどれかがわからない。	51	2
3月23日	月	晴/雨					7:00 昨日の場所には受信がない。25:00 南船木最終処分場横あたりの安曇川右岸竹藪で就寝	52	2
3月24日	火	晴					21:00 昨日の就寝場所のほぼ近くで就寝。	53	3
3月25日	水	晴					12:10 リバーサイドからバイパスを抜けたところ付近で強く受信。13:00 市役所からもしっかり受信している。22:00 JA新旭北カントリー裏の林で就寝。昼間は安曇川から移動していたのかもしれない。	54	3
3月26日	木	晴					12:50 新安曇川大橋、安曇川大橋、新庄どこからも受信できている。22:15 五十川団地横神社の大國主神社馬場道で受信。	55	3
3月27日	金	雨					追跡せず。家～役所は受信なし。	56	3
3月28日	土	晴					26:00 針江の湖岸付近で就寝。湖畔の郷自治会。	57	3
3月29日	日	晴					24:00 安曇川北流の下流にある北側橋少し上流左岸の竹藪。	58	3
3月30日	月	曇					19:23 安曇川北流の下流にある北側橋少し上流左岸の竹藪。ただし昨晩よりはほんの少し上流。やなの横あたり。	59	3
3月31日	火	曇					21:00 昨日の就寝場所のほぼ近くで就寝。ただし、それよりも下流。	60	3
4月1日	水	雨					20:00 安曇川北流やなの横の竹藪。風がかなり強く、気温が低い。	61	3
4月2日	木	雨					22:16 安曇川北流やなの少し上流の左岸竹藪。	62	3
4月3日	金	晴					17:42 安曇川南流やなの左岸付近で群れている。	63	4
4月4日	土	晴					20:52 安曇川北流で南流と北流が分かれてすぐの左岸付近にいる。周波数がわずかにずれているが、高いところにいそう。	64	4
4月5日	日	晴					18:00 安曇川下流には群れがそのままいるが受信なし。市内を探すが受信なし。電池寿命かと思われる。	65	4
4月6日	月	晴					再度捜索するが受信なし。		
							追跡終了		

教えて放鳥's！

鳥を助けて、放鳥。
(漢字の通り、鳥を放つ。)

放鳥'sのメンバーに
鳥たちのことについて
教えてもらいました。

- ひな鳥が、地面にいるときは拾ったりしないで。親鳥が近くで見守ってお世話しています。放っておくのが、一番の優しさなのです。

- 羽がぼろぼろになってしまうと、きれいな羽に変わるまで、1年くらいかかってしまう鳥もいます。ゆっくり、じっくり治っていくのを待ちます。

- ツバメが低く飛ぶと、雨。鳥の餌となる虫たちが、湿度のせいで地面の近くを飛ぶようになるからだそうです。また人と同じように、鳥も気圧により体調に影響があると言われています。

自然と向き合いながら、仕事をする人たちにとっての雨の話

雨をしのぐ屋根を作る茅葺き職人、植物を生かし庭を作る庭師。自然とともにある仕事を生業としているお二人に、雨とはどんな存在なのか、どのように雨と向き合っているのか、お聞きしました。

はなしを聞いたひと

相良育弥（さがら・いくや）
茅葺き職人。1980年生まれ。くさかんむり代表。茅葺き屋根の葺き替えや補修を生業とし、民家から文化財まで幅広く手掛け、積極的にワークショップも行う。空と大地、都市と農村、日本と海外、昔と今、百姓と職人のあいだを、草であそびながら、茅葺きを今にフィットさせる活動を展開中。

山口陽介（やまぐち・ようすけ）
庭師。1980年生まれ。長崎県波佐見町出身。高校卒業後、京都の庭師の元で作庭の修行をし、ガーデニングを学ぶためイギリスに渡る。王立植物園KEW内の日本庭園を担当しつつ、イギリスの生活に根ざしたガーデニングを学ぶ。帰国後、長崎に拠点を置き日本と世界で作庭する。

雨はあってこそ

――二人にとって、〝雨〟とはどういう存在ですか?

相良―茅葺き屋根は、雨から誰かの何かを守る存在。だから、雨は僕たちにとって切っても切れない存在というか。屋根なんでね、やっぱり雨漏りが一番良くない。雨は敵じゃないけど、雨と戦い続け、付き合い続けています。そもそも茅葺き屋根は雨と共にあると言っても過言じゃないくらい。ワンセットですね。

山口―僕も思いっきり関係あるな。雨がないと植物が育たないからね。雨って源です。人間もそうですよね。干ばつで水不足になると大変で。生と死に直結している。雨は植物にとっても人間にとっても生きるためには必要なものだと思ってます。でも、相良さんたちは、雨から守る。ですが、それも生きるため。

相良―そうやね。両方生きるためやね。意味が違うけど。

山口―両方、雨との付き合いかたの一つじゃないかな。

相良―確かに。面白いね。僕らは、雨が降ると仕事が休みになるけど、庭は違うよね。

山口―そう。雨の日に木を植えるのが一番良い。木を植えるときは雨のほうがありがたい。根っこを掘って植物を運ぶんですよ。人間も同じで、喉乾いているときに水を飲めなかったら嫌じゃないですか。植物たちも同じで。雨のときに植えてやったりすると、植物も喜んでいる気がするな。

相良―ああ、喜んでるのってわかるよね。僕は、もうじき雨が降るなってわかると身体のスイッチが切れますね。オフになる。身体と自然が一体になっている感じはあるかも。でもここ数年で雨の質も変わってきたから、今までのセンサーが役に立たない部分も増えたかも。ゲリラ豪雨とか、雨の気配を感じてから降るまでが早すぎるから、対処できないこともある。だから感覚もアップデートしないとなって。

山口―うちらの仕事っていうのは、より自然を観察していく仕事でもあるよね。

相良―そうやね。そのつど観察せんとさ。

山口―時代も変わっているように、自然も変わっているから、変わらないでいると失敗しちゃうんだよね。伝統や昔ながらの方法をアップデートしていくことが、自然を読み解くことでもあると思います。

雨と人間、あいだにある営み

――〝雨〟の存在を意識しますか？

相良―茅を並べるときって、常に雨が流れるみちを意識するんです。屋根に落ちた雨水がいかに早く軒先から切れるかっていう。綺麗に茅を並べないと、雨の流れ道がジグザグになっちゃって、屋根の上での雨の滞留時間が伸びちゃうのよ。屋根に落ちた雨が最短距離ですっと切れるにはどうしたらいいかなあっていうのをずっと晴れている日でもイメージしてやってて。雨が降った日に実際に流れているのをみて、イメージと実際をすり合わせて、感覚と技術の補正をするみたいな感じだね。

山口―庭も雨が降ったときを想像して、それから雨の流れ道は僕も意識するね。水路（みずみち）っていうんだけど。庭の中に、ちょっと土を盛ったりして地形を作ることによって、大雨のときに水がたまらないようにとか、浸からないようにとか。山にいくと、谷へ水が流れていく、あれ。ああいうのを庭にも作るんです。水たまりができないように、水路を辿って、水がすっと抜けるように。だけど一方で庭にしっとり感も大事にしていて。業界では『照り葉』と呼ぶのですがツバキのような葉っぱが雨に濡れて、つやっと光ってみえる様も美しいんですよ。

相良―苔とか石も美しいもんね。

山口―そうそう。すごく綺麗だね。そういうのは意識してやってるかな。水を撒いた後もそうだけど、植物たちの匂いも変わる。苔とかは、よりわかりやすい。あの、もわっと香る匂い、好きだね、僕は。

相良―わかる。雨の日の山もいいよね。匂いも景色も。

山口―安全な山だったら、雨の日行ったら面白いと思うよ。山の景色がいつもと全く違う。

相良―なんか豊かよね、雨の日は。

思考

二人の話を聞いて、「全ての装備を知恵に置き換えること」という言葉を思い出した。石川直樹さんの本のタイトルでもあるが、パタゴニアの創設者のイヴォンさんと石川さんが話をしたときに、イヴォンさんからでてきた言葉だそう。自然をコントロールするのではなく、知恵ひとつで、雨から身を守る。何かの魅力をひきたてる。そして、人間や動植物を生かす。知恵とは頭ごなしのものではなく、身体、感覚の全てを奮い立たせて向き合う力だ。雨が鬱陶しいなと思う日も、少し目を閉じて、雨に喜ぶ植物たちを、身体を休める人間たちを、目に見えないものの存在を想像してみようと思う。

ショートスパンコール #090

ヘクトパスカル

仲西森奈

　JR総武線千葉行きに乗って市ヶ谷を過ぎて浅草橋を過ぎて錦糸町を過ぎて本八幡を過ぎて、過ぎて過ぎて西船橋、に、着いて、降りて、改札を出て、北口に出てすぐ右手の低層ビルに入って階段を降りて貸しスタジオの扉を開けるまでの時間、考えていたこと。たとえば。たとえばだ。気圧が株で、ヘクトパスカルがお金の単位だったとする。低気圧の日は1株あたりの値段（ヘクトパスカル）が安値だ。だからこのときに気圧株を買っておいて、高気圧になったあとにその気圧株を売り飛ばせば、差額分のヘクトパスカルが儲けとして手に入る。そう、低気圧は買いのチャンスなのだ。そして高気圧もまた、売りのチャンスなのである。ここまで大丈夫ですか？

「たぶん大丈夫じゃないし、疲れてますね？」

　受付で会員証を出して鞄をロッカーに預けて貝原さんとDスタジオに入ってドラムスティックを握るまでわたしは貝原さんにべらべらとしゃべり続けていて、だから疲れていて、今日は気圧が低い。

「疲れているし」

「ですよね」

「大丈夫じゃないんですけど」

「はい」

「それは仕事の話なので、だから大丈夫で」

「はい」

「わたしは今日もやる気です」

「よっしゃー」

じゃあシングルストロークからいきましょか〜、と貝原さんが言ってメトロノームのスイッチを押して、BPM50、55、60、65、すこしずつ速くなっていく。速くなっていくのは案外簡単で、そこからまたBPM50に戻っていく、遅くなっていくのがむずかしい。貝原さんにあんな話するんじゃなかった。気圧のイメージがBPMと重なる。気圧が上がると身体もラクで、下がるとしんどい。速くなるのは簡単。遅くなるのがむずかしい。一緒。いや一緒ではないだろう、たぶん。ダブルストロークも終えて、チェンジアップ。すこし休んでから今度はアクセント移動を速いテンポや遅いテンポで。そのあたりでもう気圧のなんやかやは意識から外れていて、流れる汗、呼吸、メトロノームの電子音、貝原さんが言葉少なにフォームやリズムの乱れを指摘してくれるときの声色や口調、そういうあれこれと、そういうあれこれだけがいま存在しているこのDスタジオの、それだけで完結している時間に、ずっといたい。ずっとは言いすぎた。でも、もっといたい。

「なんでしたっけ。気圧が株で気圧株をヘクトパスカルで、あれ」

「いや、もういいんです。ほんとに。ごめんなさい」

レンタル時間もあと5分ほどになって、特に片付けるものもないわたしたちは、D

スタジオを出て自販機でC.C.レモンを買って、貝原さんは南アルプスの天然水を買って、ぐびぐび飲みながら、壁に寄り掛かるようにして話していた。

「いやいや謝らなくても。低気圧が買いなんでしたっけ」

「訊くなあ貝原さん。あれ、もしかして、気圧投資に御興味がお有りですか……？」

「ありますね。ところでヘクトパスカルと日本円のレートってどうなっているんですか」

「それはちょっと、ダウに聞かないと」

「ダウって言いたいだけでしょう」

「東証にも問い合わせないと」

「証券の話してるわけじゃないのに」

わたしと貝原さんの付き合いは長い。といっても、友達とか親類とか仕事仲間とか、そういう感じではなく、なんというか説明に困るのだけど、貝原さんは元書店員だ。わたしが生まれてからいままで、いっとき離れたり疎んだりしながらも結局住処にし続けているここ、西船橋の、駅南口から原木ＩＣの方面まで7～8分歩いたあたりにあった中規模書店、ブックス・ホークアイに、わたしが中学生だったころから、5年ほど前まで、貝原さんはホークアイの店主としてお店に立ち続けていた。ホークアイは、原木ＩＣのすぐそばという立地条件から、中～長距離を運転する様々なドライバーの利用客が6割、地元の利用客が4割、といった塩梅だったようで、だからなのか、雑誌類の棚がやたらと充実していた。漫画雑誌の棚ひとつをとっても、週刊・月刊の、見覚えや聞き覚えのあるものから、西船近辺の書店ではここにしか置いていないのではないか、と思えるようなマイナー漫画誌や、そのバックナンバーまで棚差しされていたのだった。そして貝原さんはじめ何人かいた店員さんのいい加減さ、というか仕事の回らなさも相まって、ほとんどの雑誌がなんの梱包も結束もされず、されていたとしても粗雑なお客さんの所業によってそれらが剥がされ、立ち読みし放題になっていた。わたしも、高校時代は『楽園 Le Paradis』『コミックビーム』『IKKI』の最新号が出るたびに足繁く通っては立ち読みにふけっていたので、貝原さんにとっては疎ましい存在だったのかもしれない。その罪滅ぼしというか禊というか、そういう心持ちで、欲しい本や必要になった参考書などはなるべくホークアイで買っていたのだけれど、やはりそのころから、というか、もしかするともっとずっと前から、すこしずつすこしずつ経営は下向きになっていたのかもしれない。5年前の夏、ひっそりとお店は閉まり、いまホークアイがあった場所はボルダリングジムになっている。お店をたたんだあとの貝原さんは、なにを思ってか老人ホームで働き始め、その老人ホームのスタッフにバンド経験者がちらほらいたこと、と、貝原さんも学生時代軽音サークルにいたこと、などなどが重なって、駅前の貸しスタジオでスタッフたちとセッションをしたり、ひとりでスタジオに入って個人練習をしたりするようになった。ホームの出し物でスタッフたちと演奏したりもするらしい。そしてその貸しスタジオが入っている低層ビルの、入り口の扉。「ギター、ドラム、コントラバス、エレキベース、ヴォーカル、キーボード、ゴスペル、DJ。当スタジオでは多様なレッスンを多様なスタッフが、初心者の方から経験者の方まで、ひとりひとりのペースに合わせたカリキュラムで実施しています！　現在絶賛生徒募集中！　詳しくは当スタジオ受付まで！」の張り紙を、今日みたいな爆弾低気圧と、それによる仕事の凡ミスで爆発しそうになっていたわたしが棒立ちで眺めているときに、個人練習終わりの貝原さんがホクホクした顔でその扉を開けたのだった。それが、わたしたちの、新しい、はじめましてのはじまり。

「週1。隔週とかでも、なんでもいいんですけど。一緒にスタジオ入りませんか」

「なにかやってるんですか」

「いや、まったく。いや、リコーダーならたぶん。いやそれも厳しいかも」

「えっと」

「あ、三矢田です」

「あ、はい、三矢田、さん」

「貝原さんがやっていることを、そのすごい初歩の初歩みたいなのを、わたしもやってみたいなあと」

「ドラムを」

「ドラムを。はい」

「それは、僕が三矢田さんの先生になるってことですか」

「そうかもしれないし、そうではないかもしれないです」

「はあ」

レッスンを受ける。教師と生徒の関係になる。金銭の授受が発生する。うまくは言えないけれど、そういうことはしたくなかった。とは言いつつ、わたしよりも遥かに叩ける貝原さんが、わたしに指導するような形には結果、なっているのだけれど。だからこれは、幼稚で稚拙な綺麗事だとは思うのだけど。遊びたかったのだ、わたしは、貝原さんと。この人と、この些細なきっかけで、友達みたいになれたら愉快だな、と直感的に（もっと言うと、偏頭痛によるやけっぱちのフレンドリーさで）思ったのだ。あの日、扉の前で鉢合わせて、瞬時にお互いが「あの人だ」とわかったあの日、わたしたちはふたりで、西船橋駅の北口から南口に回って、原木ＩＣの方へ歩いた。歩きながら話した。

「あなたのことは覚えてますよ」

「でしょうね、って言うのもおこがましいですけど、でしょうね」

「そうですね」

「ごめんなさい、立ち読みばっかで」

「いいんです、そういう人たちへ抱く愛憎も、仕事の一部だったので」

「やっぱりあったんですか、憎」

それにしても、返す返す失礼というか、悪い意味で無邪気なわたしである。

「そりゃ。お金だし。でも」

「でも」

「……」

「でも？」

わたしたちは元ホークアイ現ボルダリングジムの目の前にいた。

「気圧の変化で体調が変わるのは、鳥も同じらしいですよ」

「はあ」

「コーヒーゼリーって、実は世界的にかなり珍しい食べ物らしいです」

「コーヒーゼリー……」

「日本にしか存在しないし、海外で、コーヒーゼリーと言っても、通じない」

「へえ」

「どんな国に行っても、です」

「はあ」

「来週火曜はどうですか。スタジオ」

「えっ火曜。えっスタジオ」

「火曜が駄目なら、木曜でも。ちょっと時間がまだ読めませんが」

「えっ、あ、火曜。だいじょうぶです」

「よかった。そうしましょう」

貝原さんのそのときの表情を、何度も思い出す。いまも。スタジオの料金を割り勘で払って、わたしと貝原さんはいつものように、低層ビルの前で手を降って別れた。小さなバスターミナルを抜けて、コンビニやバーや居酒屋やキャバクラ、キャバレー、いつまでも猥雑な西船橋の駅前を、客引きの兄ちゃん姉ちゃんを、ずんずん通り過ぎて、焼肉屋のダクトのにおいに空腹を募らせながら、どんどん細くなって、人もまばらになって、暗くなっていく道を歩く。偏頭痛が数時間前より和らいでいるのがわかる。iPhoneを取り出して、気圧アプリを開く。明日は売りだろう。歩く速度も速いだろう。

馬が教えてくれること

「僕らはみんなダメダメですからね、馬が生き方を教えてくれるんです」。そう言って笑うのは、山形県金山町にある『カムロファーム』で馬と暮らす、山住弘明さん（以下ズミさん）。カムロファームはホースセラピーを行なう牧場で、生きることに困難を感じる子どもたちが通っている。子どもとかかわる馬やズミさんを見て、馬そのもの、馬とズミさんとの関係に、私は惹き込まれていった。

反応のコミュニケーション

「馬を観察して、何かアクションを投げてみましょう。こちらのアクションに馬が反応する。馬の反応に自分がこたえる。その繰り返しがコミュニケーションです」

ズミさんに言われたとおり、馬にむかって意識を投げてみる。「こっちをみて」と意識する。しかし馬は何も反応してくれない。何度やっても同じで、馬からのアクションも感じられなかった。見兼ねたズミさんが言う。

「声や動きが少ないままこっちをみてと伝えることはとても難しいです。馬は臆病だからわっ！と脅かすのが一番反応しやすいですよ。コミュニケーションは相手の立場になって考えないと破綻しちゃいます。馬の考えなんてわからないけど、それでも考える。あの手この手でやってみる。それが大切。自分の考えばかりを押し付けていたら、馬は全く動いてくれないですからね」

どきりとした。アクションを投げなくちゃ、という自分の気持ちだけで、馬の気持ちを全く考えていなかったからだ。それなのに、馬が反応してくれない、などと思っていた。ズミさんは続ける。

「はじめは誰でも、馬とコミュニケーションがとれません。人間は一度考えるので、反応が鈍いんですよ。正しく喋ろうとして、全然言葉が出てこないんです。馬からすれば、遅すぎて何を言っているかわからない。正しさを気にせずに、まずは反応をしなくちゃいけないんです」

感情のコントロール

「馬を動かすには、瞬間的に感情を入れることが大切です。自分のなかの怒りをコントロールすること。それができないと真剣さが伝わらず、馬は動きません」とズミさんは言う。

たしかに私は、馬に反応してほしいと思ってはいたが、

真剣にそれを望んでいたわけではなかった。本当は、飛び跳ねてみたって、寝転がってみたって、よかったはず。それで馬が反応するかどうか、試してもよかったはずだ。だけど、私にはそれができなかった。何をしたら馬は反応をしてくれるんだろうと考えるとき、ズミさんが見たらどう思うか、これをするのは恥ずかしいな、と考える自分がいたから。つまり、今この瞬間の、馬とのコミュニケーションに本気でなかったということで、馬にはそれが伝わっていたのだろう。

「みんな、頭で考えすぎているんだよね。周りの目を気にして、感じたもの思ったことを、やって大丈夫だろうかと考える。感情は、ネガティブなものであればあるほど押し殺そうとする。本当はどんな感情もすっと出していいんです。僕なんて感情ガタガタですよ、それが普通。だからコミュニケーションは成立す

るんです。馬も人間も同じ。抑揚のない人間なんてね、つまんないでしょう？
馬は〝相手が誰か〟を認識しないので、あなたは嫌いだから無視する、ということもない。その瞬間のコミュニケーションが成り立たないために無視されることはありますが、何度でもやり直しがきく。たとえ怒りが爆発して馬を殴っても、殴った僕からエサをもらって食べます。馬はそういう動物なんです」

私は、誰の目も気にしないで、感じたままの感情を出して、誰かとコミュニケーションをしたことがあっただろうか。言葉にすれば当たり前のようなことなのに、誰かの目や自分の感情が飛び出していくことに、恐れを感じる自分がいた。

　馬は、本当のことしか感じてくれない。だから〝仕事だからやらないと〟や〝優しい人にみられたいから、こうしてあげよう〟という気持ちで接していたら、コミュニケーションは取れない。厳しい動物だなあ、と思う。しかし同時に、安心感みたいなものも感じた。嫌なことには嫌と反応をくれる。感情を出さないと嫌われる。無理をしているとバレる。そして、何度でも受け入れてくれる。人間は、そんな存在を無意識に求めているのかもしれない。怒りも悲しみも感じていいのだ。込み上げていいのだ。疲れたときには、休んだらいい。それを言葉でなく、頭へ向けてでなく、からだ全体に伝えてくれるのが馬なのだと思う。

第2種換気で過ごす男

換気の方法には3つあります。第1種換気方式、第2種換気方式、第3種換気方式です。

第1種換気は、入口である給気口と出口である排気口の双方にファンなどの機械換気装置をつける方法で、効率よく換気ができるので、多くの人が訪れる商業施設が取り入れています。

ひとつ飛ばして第3種換気は、入口である給気口が自然給気で、出口である排気口にファンなどの機械換気装置を取り付け出口で空気を引っ張り出します。住宅で取り入れられていることが多い一般的な方法です。

そして、第2種換気。第3種換気とは逆で、入り口にファンなどの機械換気装置を取り付け、出口には機械換気装置はなく自然排気で、簡単に言うと〝ただ穴が空いているだけ〟という換気方式です。入り口にあるファンが強制的に室内に空気を押し込み、押し出される形で排気口から空気が出て行くことで、室内の気圧が外気より上がります。常に新鮮な空気を取り入れることができるため、病院のクリーンルームなどで取り入れられています。

これは、悪性リンパ腫の第4ステージと診断され、第2種換気が行われるクリーンルームで過ごしたとある男性の日記です。

〈新ノート〉Start　　〈1〉
2020 6 8 (月)

入院（中央市民病院　8F 803号）

11:00〜　担当医師　西久保　雅司
・血液内科 8名(2チーム)の内、1名
・これまでの症状ヒアリング
(12:00 昼食)→ ・今後の治療の進め方（検査〜結果説明）

14:00〜　骨髄液採取
・局所麻酔 3+1回（痛みが止まらないので）
・髄液吸引チューブの形式違いのやり直し
※西久保先生より説明あり。→ で（チューブの先端の径？）
・消毒液漏れでシーツ汚れ、取替 ✕

18:30　夕食

今日のコメント
久しぶりの入院で、気分が落ちつかないから
とりあえず、ラジオ(radiko)とTV(ワンセグ映り良行!)
だんまい
神大より開放的で、病院候うな陰気さはなし!
ビジネスホテル並みか、以上かも…
スタッフは全体的に若い人が多い。
病院も開放的な造りが今のトレンド?
「病は気(分)から」で GO　(TVドラマもそう)

再入院（2回目）

2020　6. 21
（日）

AM 10:30～　入院手続き
　11:30～　採血，皮下注射×2（左右）
　　　　　↓
　　　　　G-CSF剤（6/21～6/24まで連続）
　　　　　＊血液中に造血幹細胞を
　　　　　　骨髄から放出させる薬
　　　　　　　⇓
　　　　　6/24の「モゾビル」投与の準備
　　　　　　↓
　　　　　自家末梢血幹細胞を
　　　　　動員する新薬

病室では…

やっぱり、隣の住人が、
チーフ看護師をつかまえて、
「新人看護師の対応が悪い…」
（＊顔をみて話をしない
　＊薬の説明が… ✕
と"もんく"を言っていた！（プンプン）

狭い空間で、内容はまる聞こえ！

今日は日曜日で、病室内も活気がない中で
さらに悪い空気が漂っていた。

「第2種換気」で機械給気をしているけど
排気も自然→機械しないと息がつまる…

○ 今の体調　良好 ◎
○ シャワーの時間　間違いで今日はシャワーなし ブー
　（16:00予約→午後6時 ✕）

〈5〉 4

2020.6.23～2
(火)

☆今回のコメント☆

リンパ腫も色々あって、予後や進行期によって治療の選択肢がある（89の写真の表）

隣のジイさんは、パパの一昨年のR-CHOPの治療中
今日は、薬剤師さんが治療薬の詳しい説明をしていた。の様子。
↳（盗み聞き）
（神大HPの時よりも詳しかった）

18:30 夕食（牛丼）完食♡
19:00 マグミット① 眠剤①
（330mg）（ルーラン錠4mg） 就寝zzz

AM 6:00 起床 晴れ☀ 2020.6.24(水)
検温 36.4℃／体重 65.2kg
6:30 左腹部痛み → カロナール2錠
7:45 朝食（パン、野菜クリーム煮）完食
18:30 夕食（カレイ煮付、おひたし）？
↳ 食後に左腹部痛み（カロナール2錠服用）

23:00～ モゾビル注射

今日のコメント

午後4時頃にママが来院。着替を持ってきてくれた。
久しぶり（2日振り）にママに会った感じで、何か照れくさいような感じ…

もう明後日（6/26）は退院の日。♡

〈10〉

2020.7.15(水) 天気：晴れ 時々雲

(火) 明日(7/16)から移植本番！

うれしいことに、「完全無菌室」への移動はしなくなったみたいで、

少し安心する。

この先、これまでと違う薬で、感染症対策をする事になるので、今まで以上過敏に対応したい！

〈16〉

2020.7.24(金)

髪の毛はほとんど抜けた。(残り2分)

痰がからみ、喉奥のイガイガ感がひどくなる。

今日は血小板輸血、血中の白血球の成分をため足す、

→黄土色」？

夜中にトイレへいったら、鼻血が出た。

(最初は右，一旦止まって次は左)

白血球が少ないせいか、なかなか止まらず、明方まで鼻栓詰め。

▶ 2020年7月28日(火) 天気 雲雨

〈移植後12日目〉

h	6:15	8:00	9:20	12:00	12:35	15:00	18:30	20:00	22:30
℃	36.8	36.9	36.8	36.8	36.9	36.8	36.9	37.0	36.8

熱が下がり、体がだいぶ楽になった(37.0は1回のみ)

今日は鼻血×，おしりの痛み×，腕足のブツブツも少なくなった。

久しぶりのごはん夕食で完食できた。

リハビリは朝・夕・自己とルーティーンになった。

★退院後（2020年12月17日）まとめ

病院内の閉鎖空間から開放されて早や4ヶ月半。

退院後、しばらく続いた体調不良もだんだんと改善して、生活様式も、入院前にほぼ戻った。

何より、最近は、色々なイベントに向けた外出や体を動かす機会が多くなって、体調に加え気分がいい日も増えた

気持ちや考え方は、生活環境や身内、知人とのコミュニケーションに大きく左右される。更に、建物の中でなく自然のある屋外で空気を吸うのがいい、と退院後に話してくれた男性。いま、自然換気のある毎日を過ごしています。

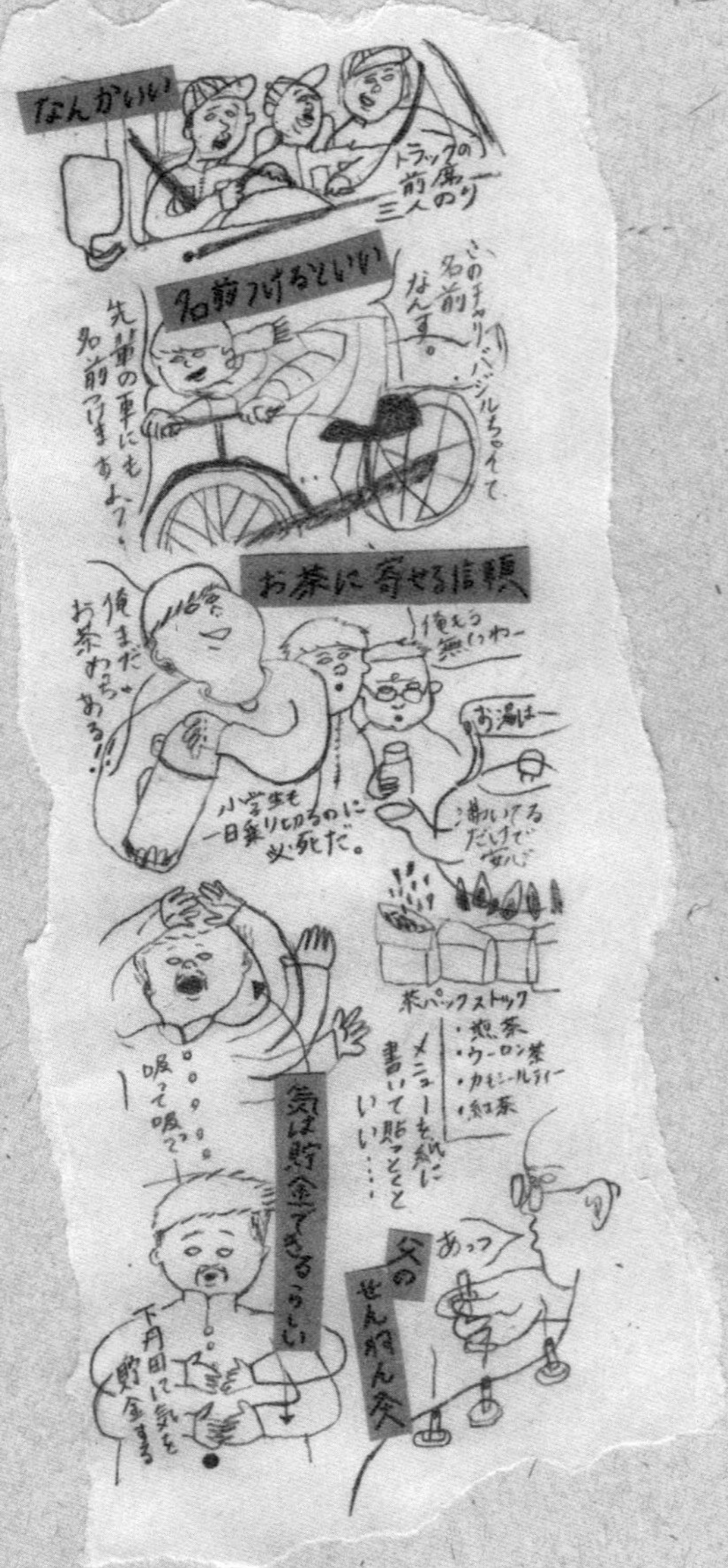
なんかいい
トラックの前席三人のり
名前つけるといい
このチャリ バジルちゃんて名前なんす。
先輩の車にも名前つけますよう。
お茶に寄せる信頼
俺まだお茶めっちゃある!!
俺もう無いわー
お湯はー
小学生も一日乗り切るのに必死だ。
沸いてるだけで安心
茶パックストック
・煎茶
・ウーロン茶
・カモミールティー
・紅茶
メニューを紙に書いて貼っとくといい……
吸って吸って
気は貯金できるらしい
下丹田に気を貯金する
父の
あっつ

しんどさごまかす

スベはそこいらに。

絵・文　鈴村温

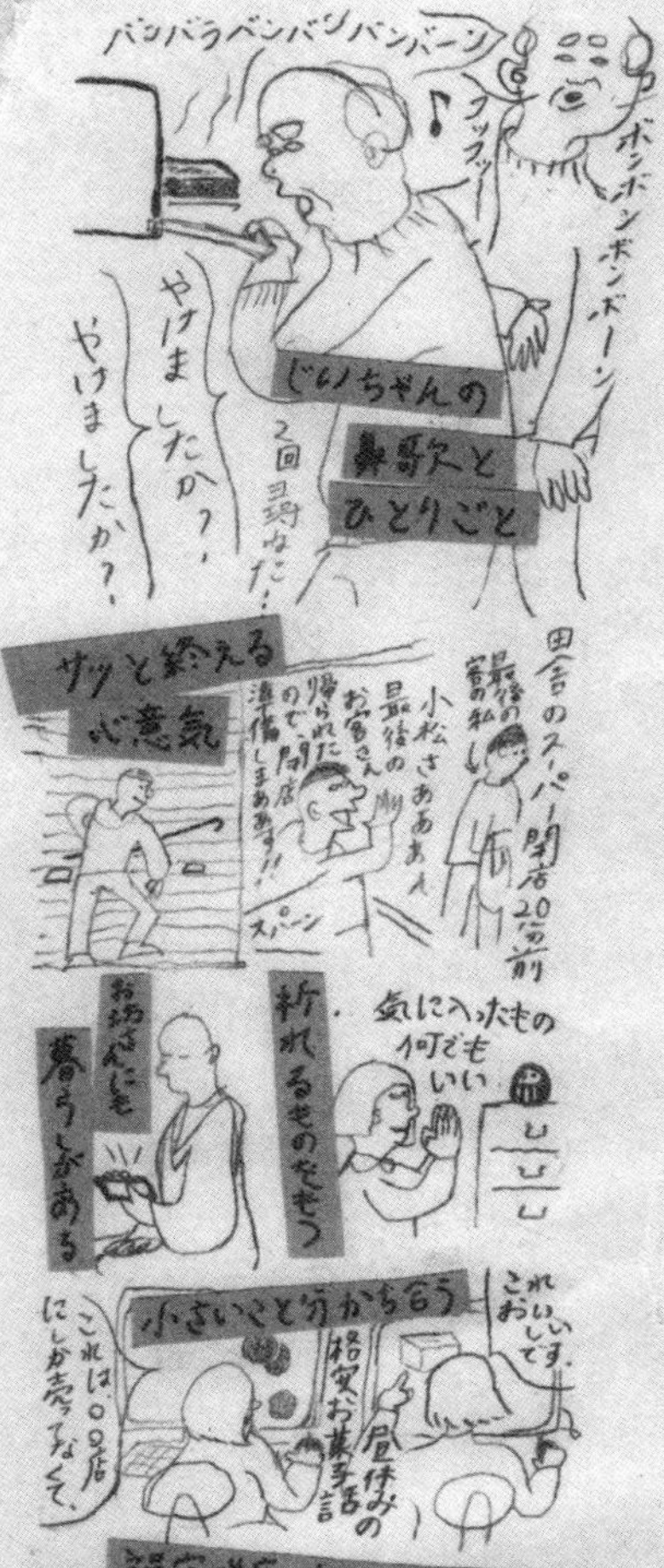

誤字脱字はのっかってなんぼ

PS
要件のみで恐縮ですがと打とうとしたら、羊羹のみで恐縮ですがと、変換がでて、茶話会か！と心でつっこみました。

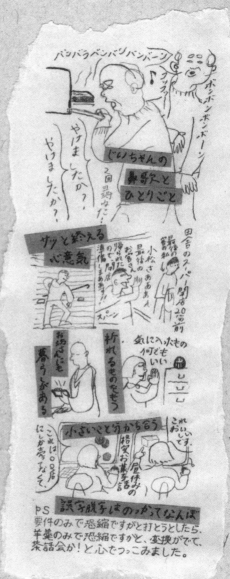

なんとなく休んでええか？

木ノ戸昌幸

コロナ禍にあって、こんなことが立て続いた。

まずはゆみさんが熱を出して仕事を休み「熱以外はなんともないので申し訳ないです」と、同じようなことを数日間言い続けた。実際、熱以外は元気そうだったが、お医者さんのお墨付きが得られるまではお休みをしてもらった。

ゆみさんが復帰してしばらく経ったある日、深町さんがちょっとしんどそうにしていた。気になって具合を聞くと、彼女は「偏頭痛だと思います。それ以外はどうもないので大丈夫です」と言った。

確かに頭痛以外には何もなさそうだったが、午後から早退することになった。

次は田中さん。ゆみさんと同じように熱を出して仕事を休み「熱以外はなんともないので申し訳ないです」と、同じようなことを同じように数日間言い続けた。同じように熱以外は元気そうだったが、同じようにお医者さんのお墨付きが得られるまではお休みをしてもらった。

……が、ええ加減「これはちょっとおかしいんじゃないか！？？」と気がついたのである。

発熱している時点で、頭が痛い時点で、その1点だけでもう十分な「休め」のサインなのに。

そしてそのサインに従い、「堂々と回復するまで休む」のが本来のはずなのに。

でも3人は一様に「熱だけだから」「頭痛だけだから」と謎の除外規定を適用して自分を大丈夫な人にしたがり、おまけに休むことに対して申し訳なさまで感じていたのだ。
そしてこの気持ち、僕にもよくよく分かってしまう。

ああ、この「ガンバリズム」という名の根深すぎる病よ……。

ガンバリズムなのか体育会系なのか同調圧力なのか軍国主義なのか知らないが、我々の奥深くにアホみたいに染みつけられた呪いよ……。

スウィングという自由度の高い環境で、そしていい大人になっても発動するこの呪いは深いというか、相当に強い。なんでこうなっちゃうんだろうか……と考えると、やっぱり「学校教育」に思いが至る。それも小学校の頃からの。

あの狂った場所に求められた様々な良い子像のひとつ、「休まずに元気に登校する子」。これは「勉強ができる」とか「運動ができる」といった他の良い子像と違ってあまり能力を問わず、「無理して頑張ればいける」やつなので、とりわけ人気（？）や普及率（？）が高かったのかもしれない。
健康で元気なのはそりゃいいことだ。でも僕たちは休むべきときにすら休みにくく、休んで尚申し訳ない気持ちになるように、来る日も来る日も、繰り返し繰り返し教育され続けたのだと思う。

なんとなく休んでええか？

これは一体なんのためだったんだろうか。ひと言で言うと「異常」じゃないか。

ちょっと前の話になる。

「あれ？　今日はQさん来てないな」とほんの少しだけ、魚でたとえるならば「ちりめん山椒」くらい心配していると、ほどなくQさんからの電話が鳴る。そして彼はうめくような冴えない声色でこう言うのだ。

「なんとなく休んでええか？」

まさに「ブレイクスルー」の瞬間だった。

具体的な理由ははっきりしないんだけど、でもなんか調子悪くって「なんとなく休みたい」ってこと、誰にでもあるあるある。でも休むためのそれらしい理由が必要で、理由があってもガンバリズムを発動しがちな僕たちにとって、この本当の声をそのまんまに発することは至難の技だ。本当の声なのにね……。

一方、発熱や頭痛なんて真っ当でありきたりな理由はとっくの昔にクリアして、近年は「嫌な夢を見た」だの「足が腐った」だのワケの分からない理由をこしらえては休んでいた達人は、また次の段階へと歩を進めたらしい。そしてQさんはその日、「なんとなく」仕事を休んだ。

7月10日（金）雨

蛆がしっかり見えるようになった。
雨が続いて液体になった部分もある。
匂いもすごい。
これが蟹だったら
もっとえらい匂いと虫だったと思う。
動物だったら描けなかったかも。

7月14日（火）雨

今日も朝から雨が続く。
コバエが飛んでアポーはぐったり。

低気圧落語

低気圧を乗り越えろ！

桂福丸

ミカ（以下ミ）「カナ、どうしたのよ。久しぶりにランチしてんのに全然しゃべらへんなんて」
カナ（以下カ）「ごめんねミカ…最近調子悪いのよ」
ミ「え？」
カ「最近調子が悪いの」
ミ「顔の？」
カ「ほっといてよ。元からこんな顔よ。違うの、今日みたいに天気が悪いと朝から眠いしだるいし、頭も痛くてしゃべる気が起こらないのよ」
ミ「あ…それってひょっとして、低気圧のせいじゃない？」
カ「低気圧って？天気予報とかで言ってるやつ？」
ミ「そう、気圧が低いと、体の調子が悪くなる人がいるのよ。特に女子に多いんやけどね」
カ「ふーん、あんまり聞いたことないけど、その気圧が低いってのはどういうこと？」
ミ「えーとね、簡単に言うと、気圧ってのは頭の上にのってる空気の重さね」
カ「（上見て）何ものってないわよ」
ミ「それがのってるの。あなたの頭の上てっぺんから宇宙まで何キロもあるのよ。その分の空気の重さが、あなたの頭の上の面積分、あなたにずしっとかかってるの」
カ「ええ！ここから宇宙までの全部の空気が！！それすごい量じゃないの！」
ミ「そう、その分の重さがあなたにかかってる。それを気圧というの」
カ「分かったわ！じゃあ、その重さを避けるためには、頭を横にして歩いたらいいのね！！」
ミ「そういうことやないの…まぁとにかく、あなたにはすごい重さが日々かかってる、それが低気圧になるとその重さが少し軽くなるってことよ。それで調子が悪くなる」
カ「それおかしいやないの。上にのってるものが軽くなったら調子良くなるんやないの？大体なんでも、軽いより重い方がたち悪いのよ…。前つきあってた男も重かった！束縛はきついし、ラインはすぐ返さないと怒るし…あいつとつきあってるの本当に重くて嫌やった。それが…軽い方があかんやなんて…じゃあミカは！もう一度私があの重い男とつきあったほうがいいって言うの！？あの重い男と！！」

ミ「…落ち着きなさい。誰も男の話なんかしてへんわよ。気圧よ気圧。ゆっくり説明するわ。まず、急に低気圧になると、副交感神経というのが活発になって、血管が拡張するの」

カ「何て？」

ミ「血管よ血管！」

カ「誰がケッカン品よ！」

ミ「…あなたひがみ強すぎるわ。体の中の血管。血管が急に広がると、眠気・だるさを感じる。人によっては片頭痛や肩こり、腰痛になったりもするの。低気圧の日はくもりや雨が多いから、天気が悪いと体調が悪くなると感じるのね」

カ「じゃあ、気圧が高い日は晴れるってこと？」

ミ「そうね、上から空気が押してくる力が強いから、上昇気流ができにくくなって雨雲はうまれないのよ」

カ「ふーん、じゃあ、重い方が晴れるってことね…。それはおかしいわ！！」

ミ「どうしたのよ急に！」

カ「前の前につきあってた重い男！！」

ミ「あんたほんまに男運ないわね。その男がどうしたの？」

カ「重くて圧が強いやつだったけど、そいつといる時いっつも雨やったわよ。おかしいやないの。圧力強いのに雨やなんて…」

ミ「知らないわよそんな男のこと…そいつ名前なんて言うの？」

カ「長崎けんじ」

ミ「ああそれで雨が降るのよ…〝長崎はいつも雨だった〟」

カ「しょうもないこと言わなくていいわよ。で、結局私はどうしたらいいの？もうすぐ梅雨でしょ？雨が多くなったらずっと調子悪いってこと？」

ミ「そうねー、天気を変える訳にはいかないけど、色々とやり方があるわ。まずは、夜はシャワーだけにして早めに寝る。そしていつもより早めに起きて動きだすこと。朝ごはんをしっかりつくって、気分を上げるためにメイクもちゃんとする。くもりの日は目に入るものがどうしてもグレーっぽいものが多くなるから、ピンクや赤の服を着るのもいいわね」

カ「うーん、分かるけどちょっと面倒くさいなぁ…もっと手軽に低気圧女子抜け出す方法ないかなぁ…あ！！…いいこと思いついた！ミカ！ありがとう！いいこと教えてくれて！！」

ミ「ちょっと待ちなさいよカナ！どこいくの！？」

（数日後）

カ「ミカありがとう！私、来月から低気圧女子抜け出すわよ！」

ミ「え？低気圧女子抜け出す？どうやって？」

カ「エジプトのカイロに転勤が決まったの。エジプトなら永遠に高気圧でしょ？」

ミ「ま、まあ、そやけど。あなた大丈夫？ほんまにエジプトいくの？」

カ「うん。私はついに低気圧から解放されて、いい人生を歩むのよ！！長いこと待ったかいがあったわ！長いこと待ってエジプトのカイロにいく。これ以上のラッキーはないわよ！」

ミ「待ちに待ってエジプトのカイロに行くのがそんなにいいことなの？」

カ「うん、昔から言うでしょ。〝待てばカイロの日和あり〟」

宇宙落語制作委員会と京大宇宙落語会をご紹介

宇宙落語制作委員会は、宇宙好きで落語好きな面々が寄り集ってできた同好会です。

同好会を作るきっかけは、メンバーが京都大学宇宙総合学研究ユニットの活動に興味を覚えたことに始まります。京都大学の宇宙総合学研究ユニットは、「宇宙に関連した異なる分野の連携と融合による新しい学問分野・宇宙総合学の構築を目指して、２００８年に設置された組織」で、一方で非常に高度な学際的研究を行うと同時に、他方でさまざまな学外グループと連携して、最新の宇宙科学の知見を広く一般の人々に発信する活動を行っています。これまで発信に用いられてきたメディアは、マンガ、デザイン、盤ゲーム、法話、等――その延長線上に「落語」というメディアを発想したのは、きわめて自然な成り行きでした。落語で表現するのがベストであるような宇宙のオモロさが間違いなくあるのです。それを知ってもらいたい、というのが同好会のメンバー一同のささやかな願いです。

「京大宇宙落語会」は、毎年「宇宙落語」の発表、ゲストによる「宇宙講演」からなっているイベントです。イベントの開催の目的は、「宇宙」を身近に感じていただくきっかけとして「落語」を入り口にすること。そして逆に、「落語」に興味のある人に「宇宙」を好きになってもらうことです。また、並行した目的として、廃止の危機にあった「京都大学花山天文台」の応援もあります。これまでの10年間、数多くのゲストの方に来ていただき、京都にあるお寺や、大阪の天満天神繁昌亭・神戸の神戸新開地・喜楽館といった寄席でも開催してきました。また、東京での開催も行い、花山天文台の応援を続けてまいりました。２０１９年の、花山宇宙文化財団の設立により、花山天文台はとりあえずは10年間の活動継続が見込まれることとなりましたが、リーダーである柴田一成京大名誉教授の「京都宇宙科学館構想～目指せ！東洋のグリニッジ天文台」という新たなスローガンとともに、引き続き京大宇宙落語会としても応援していくことにしております。10周年だった今年ですが、新型コロナウイルスの影響により、オンラインの開催に変更しました。花山天文台のドーム内の望遠鏡前からの落語中継、また国内屈指の45cm屈折望遠鏡の稼働シーンなど、オンラインならではの企画で多くの方に喜んでいただけました。全編をyoutubeにアップしていますので、よろしければご覧いただければ幸いです。『桂福丸youtubeチャンネル』で検索。「宇宙落語」もご覧になれますよ。

つくることの民主化

森一貴

僕はチームという言葉がどうにも苦手だ。その理由は、「あのチームの森くんね」という色がつくのが苦手だからなんじゃないかと思う。色がつくことは壁ができることと、ちょっと似ている。僕は僕であって、あるチームにいるからといって、特定の性格であったり、特定の服装であったりするわけではない。……などと並べ立てることはできるけれど、正直のところずっと、チームっぽい生き方を羨ましいと思っている。

それでも、コミュニティ的なものには関心がないと言えば嘘になる。たぶん僕はいわゆるコミュニティと表現されるような場を、長らくつくってもきた。シェアハウスを運営しているし、RENEWという組織に属してもいるし、TSUGIというデザイン事務所の外部メンバーでもあり、鯖江や福井のみんな、という連帯がある…。

では、僕が苦手だという〝チーム〟と、僕がつくってきた／参加してきた〝チームじみたもの〟との違いはなんなのだろう？あえて言葉にするならば、人が〝所属しているようで、所属していない〟ということが、僕の〝チームじみたもの〟の特徴なんじゃないかと思った。

それは、僕が住んでいるシェアハウスという空間に如実にあらわれていると思う。僕の家は、住む、という概念を決めていない（というか、家賃以外のルールがない）。ふらっときて、1週間ほど暮らして、気づいたらいなくなっている人もいる。二拠点生活のようにして暮らしている人もいる。起きたら知らない人がこたつに刺さっていることもよくある。もちろん、毎日住んでいる人もいる。こういう状態になるのは、僕がその場所におけるあり方を、その人自身が決める権利があることを大事にしているからだ。かっこよく言ったけれど、要するにテキトーだということである。

同じ理屈で、僕は素敵な人に会えば、うちにおいでよ、と言うし、去ることを決めた人に、寂しい、とも表明するけれど、やっぱり最終的な決定権はその人自身にある、ということを大事にしたい。そこに、僕がなにかの枠を置いてしまうことはできないと堅く信じてもいる。だからもちろん同様に、僕が所属する場を担う人たちだって、僕を縛ることはできない。

つまり僕の〝チームじみたもの〟においては、人は所属するかどうかの判断を保留したまま、自由にそこに立ち入ることができ、滞在することができ、去ることができる、そのオープンネスを僕は重要視している。

*

ところで、ここでひとつ重要なことがある。内側にいる僕らがいくら「僕らはオープンです」と宣言したとしても、その空間に人の往来が起きないなら、その場所は結局、事実としてオープンではないということだ。ではオープンであるために、なにが必要なのだろうか？僕がよく考えているのは、外側を向くということだ。

僕のイメージにあるいわゆるチームは、手を繋いで円をつくったら、みんな内側を向いている。そうして、自分たちの絆を確認しあったりするのだと思う。でも僕は、ある集団のなかにいると、どうしても外側を向いてしまう癖がある。

このことを話すとき、僕はよくドラムサークルのことを思い出す。ドラムサークルは、みんなで輪になってたいこを叩きながら、その輪の中央にファシリテーターが立ち、インプロヴィゼーションの中でリズムが生まれるプロセスを楽しむ場のこと。叩けば音が出るという参画の容易さや、非言語によるコミュニケーションの実現、正解も不正解もないインクルーシブな姿勢を僕はすごく気に入っている。

さて、公共空間で、色々な人が自由に出入りすることを目指すドラムサークルを行うとき、そのスタッフたちが気をつけることがある。それが外側を向くということなのだという。なぜか？輪を囲んだ人みんなが、内側を向いた場合に輪の外にいる人にはどう見えるか、ということを考えてみればそれは明らかだ。輪の外にいる人から見ると、参加者みんなが内側を向いているとき、輪は壁に見えちゃうのである。

たぶん、だから僕は外を向く。輪が壁になってしまうこと、外側から入る隙間がないように見えることは、僕にとってはすごく寂しいことのように感じる。なんだろう。僕はきっと、内と外をつなぐ窓のような存在でいたいのかもしれない。

*

ところで、シェアハウスで僕が大事にしていると述べた〝場の意味は、そこにいる人が決める〟という自由を前提にすると、実は僕がつくる〝チームじみたもの〟においては、ある場の〝作り手〟と〝受け手〟の境界を曖昧にすること、つまり〝主客の融解〟がテーマになってくる、とも言えるかもしれない。ある集団は、ちょっとした空気のゆらぎで簡単になにかを〝提供する人〟と〝受け取る人〟にわかれてしまう。

例えば、初対面の友達の家に遊びにいったら、いきなり勝手にトイレを使ってはいけないし、勝手にエアコンの温度は変えられない（と思う人が多い）。それは、そこに主と客という二項対立が生まれてしまうからだ。主になった人は、環境を整えてあげて、もてなしてあげて、快適に過ごしてもらわなくちゃいけない気がする。客になった人は、少しの居心地の悪さを感じながら、でもにこにこしていなくてはいけない気がする。そういう二項対立を、僕が住んでいるシェアハウスではははじめからなかったことにしたいと思っている。なので、僕は誰かをうちに案内したとき、あまり動かないようにしている。そうすると、水が飲みたければ自分で水を注がなくてはいけないし、寒ければストーブをつけなくてはいけない。そういう、場に対して主になってもらおうという空気をつくる実験をしている。もちろん、僕がテキトーなだけだ、という可能性もある。

主と客の二項対立というものは、どこにでも現れる。授業現場において、先生が主役になって、本当は主役の側であるはずの生徒が単なる受け手になっていること。ライブで、演じる側と聞く側が、高いステージで隔てられていること。為政者ばかりが、みんながどうやったら幸せに暮らせるかを考え、実際に暮らす主人公であるはずの市民が、単なる受け手になってしまっていること……。こうして生まれるいろんな構造に対して、僕は問題意識を抱えている。

＊

その主客の融解にちょっとだけ貢献できたと思っている、あるプロジェクトについて話してみたい。僕が住む福井県鯖江市・越前市・越前町には、漆器や和紙、メガネなど、多様な地場産業が根付いている。このまちで僕は2015年より『RENEW（リニュー）』というイベントに関わっている。RENEWでは、ものづくりの工房を年に一度だけ一斉開放。来場者は、職人自らの案内で、和紙漉きの工房を見学したり、漆塗りワークショップなどを楽しんだりできる。現在は出展者76社、来場者約3万2000人（2020年度実績）を数え、国内でも最大規模のイベントだ。

RENEW自体は工房開放イベントであり、その仕組み自体はそこまで真新しいものではない。けれど、その内部で密かに進行していたのは、イベントを企画する人たちとそこに出展する人たちという二項対立構造の静かな融解だったと思う。

企画側と出展側の間には、出展側からの「ウチにもっと人を回してほしい」とか「なんでもっとウチを宣伝してくれないんだ」といった依存関係がどうしても成り立ちやすい。そこで、僕たちRENEW事務局は、「僕たちは企画・広報などを通じてがんばって来場者に来ていただくけれど、その先、来場者がどうやったらみなさんの工房に来るか、どうやったら楽しんでもらえるかは、みなさんに考えて動いてもらうしかないのです」とずっと言い続けてきた。その結果、徐々にお互いにRENEWにコミットしあう関係性がうまれ、僕たちと職人さんたちの関係は、イベントの企画側と出展側という二項対立的なありかたから、ともにイベントをつくっていく関係へと転回していったように思う。さらにRENEW自体が〝持続可能な地域をつくる〟をテーマにしていることから、その〝ともにRENEWをつくる〟営みは、そのまま〝ともに産業をつくる〟〝ともに地域をつくる〟という領域へ拡張されてきた。

そして結果は、僕自身も驚くような形であらわれた。この5年間で、26の新しい店舗、工房、宿、ギャラリーが地域に生まれたのである。この有機的でダイナミックな変化は、景色そのものを変えた。まちに関係のない人をほとんど見かけなかったこの地域に、町外・市外の若い人々たちが、続々と訪れるようになってきたのである。

これらの変化は実のところ、僕たちが狙って生み出したわけではない。けれど振り返って言語化すれば、このRENEWにおける主客の融解で起きた変化は、私たちはもてなされる側ではなく、自分たち自身が考え、決め、つくっていかねばならないという〝受け手〟から〝作り手〟へのトランジションだった。この変化のプロセスは、まさにシェアハウスで起きている「私がこの場を担っているのだ」という発見に至る主客の融解プロセスと同じものだ。

*

そう考えると、僕が試みてきたこと、試みたいと思っていることは、私たち自身が、自分で何かをつくっていくことができるのだという確信を広げていくような営みだったのかもしれない。この営みを僕は、『つくることの民主化（＝Democratization of Creation）』と呼んでいる。

そんな、自分自身で新しい変化を起こしていく力のことを、Ezio Manziniが『Design Capability（デザイン能力）』と呼んでいる。ここでいうデザインとはプロジェクトをつくることだ、と彼は言う。実はイタリアにデザインという言葉が生まれるまえ、イタリアのデザイナーはプロジェッティスタ（プロジェクトをつくる人）と呼ばれていたそうだ。プロジェクトの語源は、pro（前へ）-ject（投げる）こと、すなわち未来に向けて問いかけること。そんなプロジェクトをつくる＝未来に向けて問いかけていく能力がDesign Capabilityである。そして同時にEzio Manziniは、この能力はデザイナーの特権なんかじゃないんだ、と言っている。誰もが未来に向けて、自分で考え、決め、つくっていけるのだと。そのことを僕は『つくることの民主化』と呼んでいる。

＊

実はここまで、RENEWを通じて、僕自身がまちに〝つくる〟文化を広げてきたようなことを書いたが、そもそもつくるという大事な感覚を教えてくれたのは、このまちの職人さんたちだった。このまちの人々は、自分たちでモノをつくることはもちろん、自分たちで会社をおこし、商品を開発し、小屋をつくりデスクをつくり、必要なものはなんだって自分でつくってきた。その自分でつくっていくという態度そのものに、僕はものすごい影響を受けたのである。

僕自身が、２０１５年にこのまちに移住してくるまで、学校は先生から〝聞く〟場なのだ、仕事や給料は会社から〝もらう〟ものなのだ、社会システムは国家のような大きいところから〝押し付けられる〟ものなのだ、と思い込んできた。僕は主客の二項対立で言えば客の側に、ずっと居座ってきたのだ。しかし、このまちの人々は〝自分でつくる〟というオプションを、当たり前に行使する。そのことに、僕は心底驚いたのである。ああ、会社ってつくっていいんだ、仕事ってつくっていいんだ、机って自分でつくっていいんだ……、今では考えてみれば当たり前のことなのだけれど、当時の僕には衝撃的だった。僕自身が、作り手と受け手の二項対立を融解させられた当事者だったのである。

つまり、主客を融解させながら他者につくる文化を広げる『つくることの民主化』の機構は、このまちのそこかしこに転がっている。そして、そのつくる文化を広げる行為は、私からあなたへ一方通行で行われるものではなく、常に私とあなたはお互いにつくる文化を拡張しあう存在論的デザインの相互作用ネットワークのなかにいるのだ。このまちにチームじみた連帯を感じてしまうのは、主客を融かし、つくることの民主化を引き起こすような文化が、このまちやこのまちの人々の根底に流れているからなのかもしれないな、と僕は思う。

涙のスイッチ

人はなぜ泣くのか

明石悠佳

人生は複雑な回路でできていて、そこには無数のスイッチが存在する。そのスイッチが押されたときに、人は、泣くのだと思う。

子どものころ、その回路とスイッチの構造はとてもシンプルだった。

ほしいものが手に入らないと悔しくて泣く、お母さんが自分のことを見てくれないと悲しくて泣く、転んでけがをすると痛くて泣く。行動と涙の因果関係は、とてもわかりやすくできていた。

けれど歳を重ねていくごとに、その関係は複雑になっていった。

誰かの一言、ふいに出会った景色が何かの琴線に触れて泣く、生理前や低気圧といった外部の要因に感情を揺さぶられて泣く。なぜ泣くの？　というその問いに、一言で答えることは決してできない。

積み重ねてきた感情や経験が絡まりあい、予期せぬふとしたきっかけが、それらの記憶を呼び起こすスイッチとなる。そして、そのスイッチが押されることによって、自分でも理解できないような速さで心の中に感情の渦が巻き起こる。

その渦を自分でどうにも対処できないときに、結果として出てくるのが〝涙〟なのではないかな、と思う。

スイッチが入ったときに人は泣く。

それは理解できるけど、じゃあ、スイッチは、どういうタイミングで押されてしまうのだろう。そこに、何か具体的な方程式はあるのだろうか？

今日は〝泣く〟ということについて、もう少し、深く考えてみたいと思う。


5年ほど前、私には大切な恋人がいた。今までお付き合いをしていた人の中でも、特に大切だと思える人だった（くらべるものではないのはわかっている）。

ていねいに関係を育んでいるつもりだったけれど、それでも月日というものはふたりの関係を少しずつ変えていくもので、2年ほどが経ったころには、気持ちや行動がすれ違う数が増えていき、次第にうまくいかなくなっていた。

そのことに気づいた私たちは話し合い、「まだ大丈夫、まだがんばれる」と、もう一度、おたがいに向き合う決心をした。

その話し合いの翌月には私の誕生日があって、恋人は時計をプレゼントしてくれた。金色の細いベルトに華奢なヘッドがついている美しい時計で、私がお店で一目惚れしたものだ。

お金の話をするのはいやらしいかもしれないけれど、その時計は、かなり高価なものだった。まさかその時計をプレゼントされるなんて思わなかったので、私はうれしかった。高価な時計をもらったことよりも、彼のその〝奮発〟という行為には、私への愛情や、これからのふたりの関係性に対する決意が含まれていることがわかっていたからだ。

けれど、あろうことか私はその時計を、たったの一週間でなくしてしまった。

そのときのことは、今でも鮮明に覚えている。

都内での打ち合わせが終わった帰り道、左腕をふとさわった瞬間に「おかしいな」と思った。あるはずのものがない。見ると、時計が消えていた。

打ち合わせ中に触っていたことは覚えているので、きっと会議室にあるはずだ。急いで会社に電話をして問い合わせたけれど、返ってきた答えは「申し訳ございません。時計の落とし物は見当たりませんでした」という、肩を落とす内容だった。

自分が歩いてきたであろう道を、かたっぱしから、何度も何度も歩き直した。地下鉄や、少しでも可能性があるお店にはすべて電話をかけた。けれど、いくら探せども、その時計は見つからなかった。本当になくしてしまったんだという事実に気づいたとき、私の目からは涙があふれ出てきた。

その時計が持つ意味の大きさを、知っていたからだ。彼が時計にこめてくれた思いを、知っていたからだ。それがふたりの関係をふたたび築いていくための、大切なものだと知っていたからだ。〝時計をなくす〟という行為は、私の回路の中にあるスイッチを、パチンと押した。

そして枯れ果てるほど涙を流し切ったあとに私の中から生まれた感情は、あろうことか「彼と別れよう」というものだった。

本当にひどい話である。時計を勝手になくし、勝手に泣き、勝手に別れる決意をしたのだから。はたから見ると、非情なやつだなと思うし、友人にも事実、そう言われた。自分でもロジックはよくわからない。けれど、時計をなくすというスイッチによって引き起こされた涙は、私の感情を、もろともすべて流れ落としてしまったのだった。彼ともう一度がんばりたいという決意まですべて。

いつ何時に、スイッチが押されるかはわからない。そして、押されてしまったものを戻すことはできず、そうやって流れた涙が、自分の行動を変えてしまうことだってある。そんなことを学んだ、齢25歳のできごとだった。

少ないながらに、こうした自分の経験の中から、涙のスイッチが押される方程式をひも解いてみる。

すると、大きくわけて、次の3つのパターンがあるのではないか、と思った。

ひとつめは、自分の本当の気持ちが、言葉では伝えられないときだ。

昔から、言葉で誰かに思いを伝えることが苦手な私は、気持ちを声にしようとするたびに、喉の奥がギュッと詰まるような感覚になって、喉から出る言葉の代わりに、目から涙という形で気持ちが出てきてしまうことがよくあった。

言葉の代わりとしての涙。このパターンは、割と方程式としてはシンプルである。

ふたつめは、自分ではどうしようもできない現実に直面したときだ。

どうしようもない現実に直面すると、その現実を受け入れがたくて涙が出てくることがある。それは、現実を受け入れるための涙、どうにかできないかという期待の涙、そういった現実を引き起こしてしまった自分に対する後悔の涙といろいろ種類はありそうだけど、いずれにせよ〝どうしようもない現実〟に直面したときに出てくる、という意味においては、その構造はシンプルであるように思う。

そしてみっつめは、溜まった感情があふれ出るとき。

これがやっかいなのだ。

なぜなら、感情は可視化されないがゆえに、自分の中にどれだけの感情が溜まっているかは明確にわからないから。さらには、溜まった感情が何によって引き起こされるかは、もっとわからないから。

感情が心に溜まっているとき、スイッチは、よくわからないポイントでポチッと押されてしまう。そして、感情を溜め込みすぎると、それは流し切られてしまうことがある。

私はきっと、前述の恋人との関係性において、感情を溜め込みすぎていたのだと思う。だから時計をなくすというスイッチが押されたときに、その感情がせきをきったように流れ出てしまった。

非情な行動は、もしかすると、情がありすぎるから生まれるものなのかもしれない。感情を溜め込みすぎた結果、それがどうしようもなくなって、涙となって流し切られてしまうのかもしれない。

だからそうならないためにも、感情を溜めすぎずにこまめに泣くことは、私の生活にとって必要なことなのかもしれないなと、そんなことを思う。

感情が原因で泣くことができるのは人間だけらしい。そして、なぜ人間だけが感情で泣くのか、その理由はいまだに解明されていないのだという。

もっと理由を知りたい、そして自分の涙をコントロールしたいとも思うけれど、人の感情がもたらす行動をすべてハックできてしまったら、人間はロボットと同じになってしまうのではないだろうか。

私はいくら考えても、涙をコントロールしきることはできそうにない。自分なりに、少しずつ、このやっかいなスイッチ、愛すべきややこしい感情たちと、向き合っていくしかないのだと思う。

TALK

「低気圧と高気圧」

思考記編集部 かのことくまの 話す 編集後記

「頑張ります！」論

かのこ（以下か）：低気圧の特集は意外にも、感情とかコミュニケーションにも話のテーマが及んだのが面白かったなあ。

くま（以下く）：そうですね、すごく面白かったです。『馬が教えてくれること』でお話を聞いたズミさんに後日連絡をしたんですが、その時の話も面白かったです。

か：どんなやったん？

く：馬は、人間みたいに気圧で体調が悪くなることはない。だけど、雨で危険があることを察知したら倒木の恐れがないところに移動するとかはやってる。人間が体調を崩すのはもしかしたら、体調が悪くなるくらいわかりやすい信号がないと危険を回避できないからじゃない？という話でした。

か：あ〜、面白いね。馬の話からこの話になるのはちょっと申し訳ないんやけどさ、AKB48指原莉乃さんのユーチューブチャンネルでやってた『オフの1日』を思い出した。いつもと声のテンションとかが全然違うんよ。指原さんがその動画を撮っていた日が雨で、昼の2時くらいに一旦寝たんよね。雨の日に、その音を聴きながら寝ちゃうのが一番幸せな時間なんですって言っていて。あんなに忙しい芸能人でも、やっぱり雨の日にはオフを感じるんやなって思って安心した。みんなスイッチを入れてめっちゃ頑張ってんやな。

く：本当にそうですね。低気圧の特集はとくに、なんか気が抜けるというか、力の抜ける内容が多くて、なんで皆こんなに力を入れて生きているんだろうなあってすごく思いました。

か：な、力入っているよね、みんな。なんで力はいるんやろうなあ。

く：下手なところは見せられないって気持ちが、他者と対峙する時にはあるなと思ったりします。一人の時でも、こういう自分でいたくないみたいな気持ちがあるから力が入るんだろうなあと。自分のことをすごく意識をしてるんでしょうね。馬は、自分が馬であることも知らないらしく、全然力が入ってないように見えました。

か：そうなんや！馬は、自分のことをなんやと思ってるの？

く：なんでもない、らしいです。

か：自分っていう自覚もあるの？感情もないのかな。

く：どうなんですかね。危険が来る、来ないはわかるんだと思うんですけど、命を続けること以外に、何か意識があるかといえば、ないのかもしれないと思います。

か：ああ、それはそうかも。命を続けること以外に意識をしているのは、きっと人間だけやもんね。知り合いが「人は自分のことを本当に見てないから大丈夫」とコラムに書いていたことがあったな。自分のことなんてほとんど誰も見てないんよ。失敗も成功も誰も見てない。あるのは、この世の中の一人間でしかないという事実だけ。やから、何にも怯えることは全くないみたいなことを書いていて。本当に、誰も見てないぞっていつも思う。自分にも思うし、人にも思う。

く：そうですよね。そうだよなあって思うんですけど、気がつけば、肩に力が入っている気がします。

か：くまさん、頑張らなきゃってめっちゃ思ってない？

く：頑張らなきゃは思ってますね。

か：いつもの連絡で、人とのやりとりについて「ここ、こうだから連絡しときやー」みたいなのとか、編集でくまさんが知らんかったことを私が伝えたりするタイミングとか、よくあるやん。そういう時は、だいたい「頑張ります！」って言うてるで（笑）

く：あ、言ってるかもしれないです。「自分はできていない」って前提があるので、早く「できる」の段階に行きたい気持ちはすごいあると思います。かのこさんの、人とのやりとりも編集的なところでも、あ、すごい！って思うことがすごく多いので、そこに至りたい気持ちは強いですね。

か：あー、私もまだまだ全然できてないことの方が多いからさ、うわ、めっちゃ勉強になる！みたいな人すごいいるけど、「頑張ります！」って気持ちはあんまりないな。社会人1年目の時は、早くできるようになりたい、できることを早く増やしたいっていうのは、口癖のようにずっと思ってたけど、くまさんはそれが「頑張ります!」に出すぎちゃってるのかもなぁ。

く：面白いですね、そんなに意識してなかったです。

か：『涙のスイッチ』を書いてくれた明石さんは、体調が悪いって話をした後に「でも全然大丈夫やねんけどな」って絶対言うねん。それも「頑張ります!」に近いなと思った。

く：「頑張ります!」の理由を私なりに考えると、無理にでも明るい感じで会話を終えたい、というのがあるんだろうと思いました。今考えると、別に暗い話ではないのになぁ、というのはすごい思います。

か：うん、わかるよ。自分にできていないことがあったり、人にそれを教えてもらった時って、やっぱり指摘ではあるからさ、絶対プラスな話やのに。ああ、またやっちまったなって思ったり、全然問題ないことやのに、ウオーって落ち込んだりするよね。だから、ポジティブで返した方がなんかいいと思っちゃうというのはめちゃくちゃわかる。だけどいいはずやのにね、ネガティブはネガティブのままで。

く：なんとなく嫌ですもんね。そんなに気を張られても、ってなります。

か：そうやなあ。そんな全力で来なくていいよ!って思ったりするもんね。一文一文にビックリマークを打たなくても大丈夫、大丈夫だからって思う。もうちょっと気抜けた言葉で、「頑張ります」に代わる言葉はないんかな。頑なに張る、って漢字が最悪やね。『頑張る』の言葉の意味を調べてみてくれへん?

く：『忍耐して努力し通す。譲らず強く主張し通す』だそうです。結構ガチガチに張ってますね。私は、そこまでの意味で使ってない気がします。

か：どんな意味で使ってるの?

く：「次からそうします」くらいの気持ちですね。

か：あー。次からそうしますパターンと、やったります!って気合い入れる時の2パターンあるけど、どっちも「頑張ります」って言っちゃってる気がする。目標を持って、時には肩の力を抜いて、やり切れるところまでやりたいです、みたいな感じゃんね。希望とか挑戦のニュアンスが近いか。「精進します」くらいじゃない?

く:精進は『身を清め、行いを慎む』って書いてありますね(笑)

か:なんかちょっと違う。

く:「一つのことに精神を集中して励む」ともあります。

か:あ、励むや!「励みます」も一応調べておこうか。

く:『心を奮いおこして努める、心を打ち込んで努める』『気持ちを奮いおこして物事をする』みたいです。

か:ああ、今までで一番いいな。「励みます」の漢字の由来ってなんやろうな。

く:削り取られた崖と、力が力強い腕の象形文字、下部分がサソリの象形文字って書いてありますね。

か:え〜!じゃあ下にサソリがいる崖に腕一本で崖につかまっているってこと?

く:結構ギリギリですね(笑)力が入っていたらダメなのかもしれないです。

か:うん。力が入ってて、失敗することの方が多い気がするなあ。相良さんもさ、雨の時はすぐにスイッチが切れると言ってたやん。自分でスイッチを切る考え方が、そもそも人間的よな。自分じゃないものがスイッチを切ってくれるというのがいいんやろうな。

く:スイッチをオンにするのも、本当は自然がいいような気がします。どっちも人だと長く続かないような気がしますね。

か:会社も、雨の日は休みにしたら成り立たへんのかな。一回やってみたいけどな。

く:ああ、いいですね。でもリモートは難しそうです。宮城は晴れてますが、京都は雨みたいになっちゃいそう。

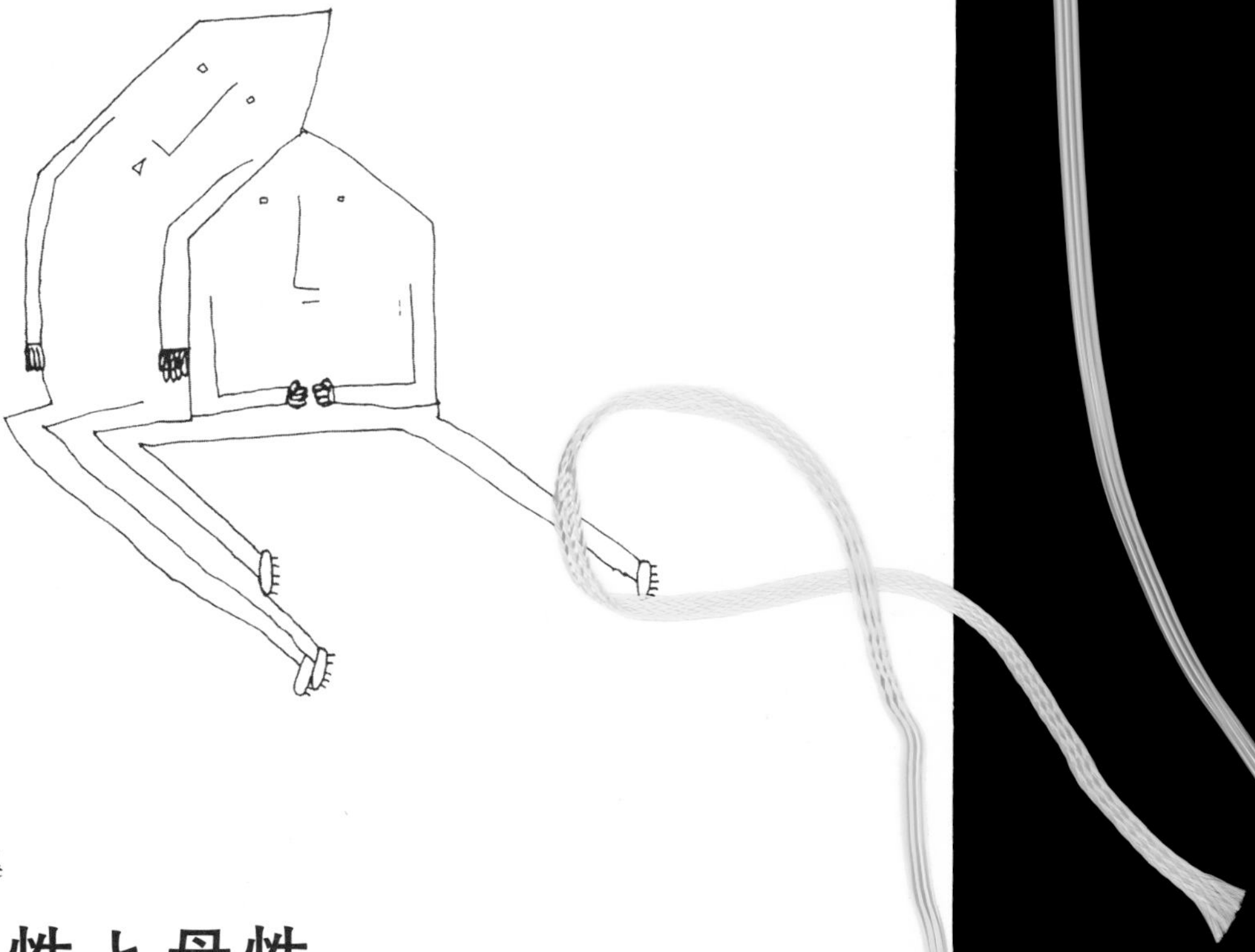

特集

父性と母性

カフェあとむにて

『カフェあとむ』という喫茶店がある。昼はカレーやコーヒー、夜はお酒を楽しめる店だ。中に入ると大きな木のテーブルが2つ、カウンター奥に調理場、壁一面にはレコードがぎっしり。植物、大量の本、けん玉、アメリカンなんとかというおもちゃ。鉄腕アトムのグッズがそこかしこに置いてあり、いつでも大音量で音楽がかかっている。

カフェあとむには、町の人たちがたくさん来る。向かいのラーメン屋店主、寿司屋の息子、隣に住む映画監督、保育士、町の職員たち、酒蔵の社長、農家、駄菓子屋の店主、などなど。酒蔵の社長は、いつも違うおしゃれメガネをかけてスタイリッシュにお酒を飲んでいる。と思いきや、23歳の私に「クソガキ」と言って戯れる。ラーメン屋の店主はいつも愉快。監督はいつも奥の部屋にいてiPadをいじっている。農家さんはパンクな男。駄菓子屋の店主とは、ガールズトークで盛り上がる。ここで過ごしていると、別々で来たはずのお客さんと、気づけば仲良くお酒を飲んでいる。あるいは、奥からギターを持ってきてみんなで歌う（マスターはビールを3杯飲むとギターを弾きだす）。連絡先も交換していないけれど、ここに行けば友達のような家族のような人たちに会える。一人になりたいときには奥の部屋へ。ただここにいることを、カフェあとむは許してくれる。ここで泣いたことは数知れず。笑ったことも勿論たくさん。いろんなことを考えさせられたし悲しくなったこともある。ここでの時間はいつも濃密。放課後クタクタになるまで友達と遊んだり、家族と声が出なくなるまで笑ったり、時間を忘れて仲間と語り合う、そんな時間とどこか似ていた。

カフェあとむは、もうすぐ店を閉める。それぞれ思いはあれど、今はいつも通りの時間が流れている。最後の日もきっとそうだろう。その食卓は一体、どんな味がするのだろうか。

「同じ釜飯を食った仲じゃないか」

老婆は一日にして成らず

「ときめきは四十路過ぎると不整脈」

「グータッチ妻は私にノータッチ!!」

「デイサービス"お迎えです"はやめてくれ」

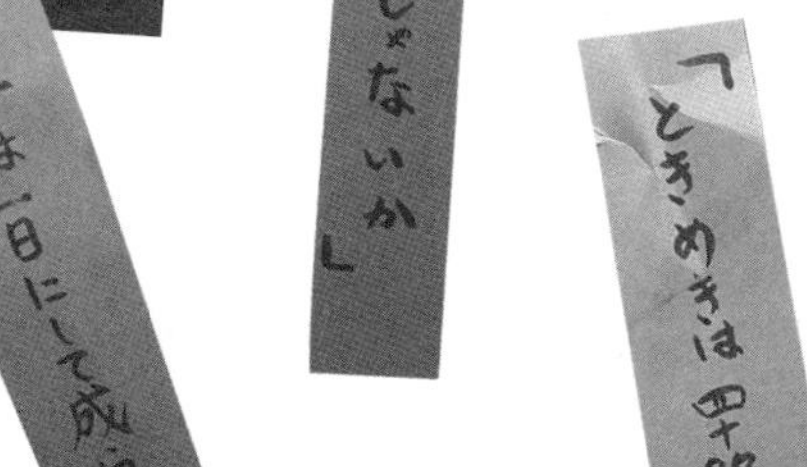

7月17日（金）曇り

酸っぱい匂いが漂いコバエが飛んでいる。

早めに描いてお互い解放されたい。

7月21日（火）晴れ

夕方から雨ということで

濡れないように蓋をかぶせる。

しばらく乾かしてみたい。

共生

Illust by Natsuko Kanzaki

7月12日（水）晴れ

だいぶひしゃげてきた。

蛆虫も干からびている。

7月28日（月）曇り

また水に浸かってぐったりしている。

つらそう。

7月29日（火）曇り

もうすぐ梅雨が明けそう。

7月31日（金）晴れ

今日、梅雨が明けた。
コバエも蛆虫も一匹もいない、
腐った匂いもしない。
2個セットで買って描かなかった
もう一個のりんごは冷蔵庫でずっと冷えている。

8月4日（火）晴れ

カンカン照りの日が続く。
虫も匂いもないので、石を見ているような感じ。

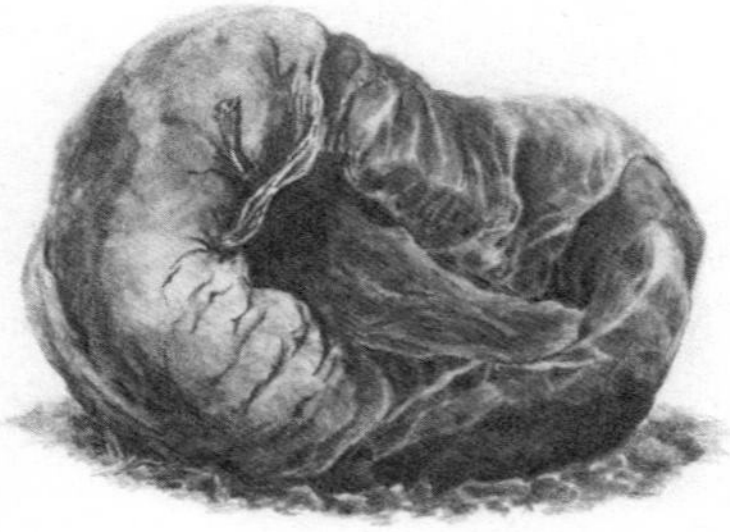

共生

Illust by Natsuko Kanzaki

8月7日（金）晴れ

土の部分もカラカラに乾いている。
触ってみたらけっこう硬かった。
もう生きてないのかな。

8月11日（火）晴れ

変わらないように見える。

8月14日（金）晴れ
小さくなってきた。
灼熱のベランダに置いてあってカラカラ。
8月20日（木）晴れ
今日も灼熱。
触ってみると少しだけ水分が残っているみたい。

共生

Illust by Natsuko Kanzaki

組織の父性と母性

話し手 ――
全田 和也（特定非営利活動法人ごかんたいそう 代表理事）
濱部 玲美（株式会社 KUUMA 代表）

濱部 玲美（以下れ）― 私、コロナウイルス（以下コロナ）の前はうちの組織のメンバーを守らなきゃというか、今思えば、自分の子を守るために自分がいいと思った道筋に行ってほしい、みたいな勝手なエゴも多分あった気がするんですよ。小さな会社ですし、みんなが複業スタイルという働き方も多様な組織なんで、ずっと一緒にいるわけではない。自分なりにずっとその子たちのことを一生懸命考えていたのに、伝わってないんじゃないかっていう寂しさもあったのかなぁ。それを母性と言ってしまってたのかもしれないけど、でもコロナを経て、良い距離ができて良い意味でぷつっと切れて、個々の頑張りをちょっと引いて応援する方が気持ちいいなと思えるようになったんですよ。その時母性から父性への切り替わりの時期やなぁと思っていました。

全田 和也（以下ま）― なるほどな。なんなんやろうね、父性と母性って。

れ ― すごくシンプルに言うとしたら、母性は、包み込む。父性は、切り離す。どちらも愛情がベースにあると思うんですけど、自分の手でわかりやすく導いて包み込んでいるのが母性的なもので、切り離して愛情を伝えるというのが父性。どちらも人間の中にあると思うんです。

ま ― うーん、僕の場合はもともとどんな要素においても両極端な人間なので、一言でいうと躁鬱が激しいんですね。うちの社員に聞いたらみんな口を揃えて、めちゃくちゃ機嫌が悪い時とめちゃくちゃ人懐っこい時とほんま極端って。で、その感じでいくと、結構短い周期で父性と母性が入り乱れていく感じなんですよね。だから自分の中で父性と母性が同居している瞬間もある。

れ ― なるほど。どっちかが強くなることありますか？

ま ― れみちゃんが言ってくれたみたいな、切り離すっていう話で言うと、来年度の人事の話を今ちょうどしてるんですよ。で、人事を決めるのを今年から他の人にお任せしたんです。それが自分の中から切り離したこと、周りの子を信頼して委ねるみたいな感じなんですけど。人事ってしんどい仕事じゃないですか。八方美人でいられないし、恨まれたりする可能性もあるし、不公平やって言われることもある。だから任された人は、メンタルしんどい仕事を押し付けられてって最初は感じてるかもしれません。ちょっとスパルタなのかもしれないけど、でも、今その人にとってこのテーマをこなせたらめっちゃ成長しそうやし、めっちゃ生き生きしそうやなって思うから、そこはお願い！ってやったのは結構父性かなって思った。普段は割と全肯定で、あんまり成果を求めないし、失敗したって聞いても挑戦した勇気がすごいやん、それリスペクトするわぁみたいなことばっかり言うから、普段は母性でコミュニケーションをとってる。けど、迷ってる人と話す時は父性かな。迷ってる人って決断を遅らせようとしたり絶妙なロジカルシンキングで逃げようとしたりしがちかなと思うんで、自分の人生なんだし僕らだって進んだ道が正解かわからないし、だからその人が決断をしてもらうサポートになるような会話をして貢献しようとはします。「もうそんなんやったら一回やめろ」って言ったりとか「そんな気持ちやったら、みんなに誠実じゃないし、自分の人生に誠実じゃない」とか、結構すっごい厳しいこと言うんですよ。もう泣きじゃくってたけど。100％愛情から言ってるなっていうのは自分の中にあったんですよ。マウントを取りたいわけじゃないし、怒りで言っているわけじゃない。本当にその時間、その子のことだけを考えて、この子が次に楽しく充実するにはこれじゃないかっていうのをかなり考えて伝えたんで。伝えた言葉は「それやったら一回やめろ」ではあったけど、あれはまぁ父性やったかなって。

れ―― いまの話を聞いてると、全田さんの中での父性と母性の概念は、さっき私が言ったものに近い？

ま―― 近いかもしれない。なんか父性も母性も根っこは同じ気はしないでもないというか。根っこは親としての愛情。完全に社員が子どもに見えていますよ、僕。偉そうに聞こえてたら申し訳ないけど。だから親としての愛情みたいなものは、理屈じゃなく、じわっと出ちゃってて、その伝え方が時として父的な愛情の伝え方になるときもあるし、母的な愛情の伝え方になることもある。つまるところ、親の押し売りやと思いますね、誰も求めてないもん。

れ― あはは。でも自分の子どもも、たまたま自分の子どもに生まれてきただけで、親の押し売りっちゃ押し売りですよね。

ま― まあね。お前のところ生まれてなかったらって言われたらそうやもんね。

れ― 私も自分の組織のメンバーに、家族って言ったら重いかなと思うけど、他人以上家族未満みたいな感覚は伝えていて、やっぱりもう他人じゃないし、会社でやっていきたいこととか知ってもらった上で一緒に育んでいこうってなってるから、一緒に子育てしてる家族でもあるなぁって思ってるんです。だから仕事の話っていうより、みんなの人となりとか将来したいこととかにすごく重きを置いて話しますね。

ま― ああ、その感覚すごくわかりますね。なんかね、長い時間同じ場所で一緒にいることが当たり前っていう空気感の中で過ごす、暮らす、仕事するでもいいし、テーブルで企画書を一緒にかくとか、ときに厳しくあってもいいけど。そういう共有体験というか役割はそれぞれ違うねんけど、そこにいることがお互い当たり前な空気感で過ごす時間が積み重なると、血縁関係じゃなくても家族は生まれるって思っていて、だから多分子どもに見えてきているんじゃないかなって思うんですよね。で、最近特に思うのは、僕の中での『ごかん』の組織は、血縁じゃない人と家族になっていくきっかけ、玄関口になってきているんですよね。

れ― あー、なるほどなるほど。

ま― 今年で言ったら採用説明会やって10人くらい応募してくれて、採用するのは1、2人なんですよ。前までだったら残りの8人は今回残念でしたが採用を見送らせていただきますとメールでやって終わりやったんですよ。でも今年から感覚が変わってきて、みんな友達になりたいとか思っちゃって。だから「見送ることになりました」って連絡するんですけど、でもそのあとの文章の方が長くて「この前の話めっちゃおもろくて、話足らんかったって思ってて、もっと話したいし、恥ずかしいけど友達になりたいんです」とか書いてみたりして。友達づきあいしている中で、サーフィン友達になるかもしれへんし、お茶飲み友達になるかもしれへんし、でもそこで何かお互いのビジョンが重なるタイミングで盛り上がってこんな事業やってみぃひん？とかなるかもしれない。ならないかもしれないけど、そこありきじゃなくて、とにかく友達になりません？ってメールしたんですよ。結構返してきてくれて、ちょっと友達増えたんですよ。

れ――あはは、めっちゃいい、よかったですね（笑）。

ま――そうなんですよ。そうやって考えてきたら、組織に固執しなくていいというか、いろんな家族が生まれるゲートというか。今年、ご家庭の事情で故郷に移住するために辞める社員がいるんですよね。ごかんをはじめた頃やったら、なんで辞めんねんみたいな気持ちがどっかにあったと思うんですよ。ないです？全然会社もまだまだで社員数も少ない状況で、どうしてもコミットメントを求めちゃってるなかで、辞めます言われたら。

れ――ああ、あったんや、全田さんにもそういう時。

ま――いやぁ、ありましたよ。最初の頃とか人が辞めるとショックでした。自分の事業をこいつは否定しやがったみたいな。表面上はそんなにキレないですけど、家帰っていじけてるみたいな感じ。今は結構本心で、家族として次の一歩が踏み出せて良かったなぁって、もっと幸せになれるやん、って思える。喪失感なんかなんもないんですよ。むしろその幸せを横でおすそ分けしてもらって、僕もちょっと幸せ増してるやん、という感覚。これからも組織としてのビジョンはより一層追求していきますが、仮にその過程で誰か社員がやめていったとしても、家族は増えていく一方で、減ることはないじゃないですか。こういう考え方ができたら、僕、もう子沢山のおじいちゃんになるだけやんっていう。ハッピーしかないんですよ。

れ―なんでそう思えるようになったと思います？

ま―時間の積み重ねかな、シンプルに。『ごかん』をやって9年目なんですけど、日常ってしんどいことも多いじゃないですか。それぞれ戸惑ったり、会議でピリついたり、誰か心が折れかかったり、彼氏に振られて凹んだりとかも、一緒に過ごしていきながら家族になっていく。時間の流れとともにその家族が育っていくのも間近で見れるんですよ。あ、この人、こういう会話の場面で前はカッとなってたのに、おおらかに言葉をかけられるようになったんやとか、すごく変わってきたなとか。人としての成長、スキルというより人間性の成長みたいなものを、まぁ我が子の成長を見るような感じですよね。そうなってくるとそこの幸せ感、半端じゃないでしょ。

れ―うんうん、そうですね。

ま―れみちゃんだって自分のお子さんが成長している姿、なんやこの子できるようになったって、もうなんかこれで死んでもええわってなるでしょ。それを結構見てきているんで、任せた仕事が大失敗を起こして例えば『ごかん』が潰れたってなっても、僕必死で守ると思うけど、どうやってもあかん、もう潰れたってなったとして、それでも自分が家族って思える人が幸せに生きてたら多分僕は幸せだと思う。

れ―うんうんうん、わかります。

ま―だから多分、そのあとに社員が幸せそうに生きてるのを時々年賀状かなんかで見せてくれたら、僕は二子玉川の川辺でブルーシートで包まって年賀状見ながら幸せやなって思うような生活をしてるなって。

れ―なんかやってくださいよ、仕事（笑）。

ま―めっちゃ幸せなホームレスのおじいちゃんになってると思うから、だから安心してチャレンジしてええでって社員に言

全田 和也

特定非営利活動法人ごかんたいそう 代表理事。海も山も近い自然豊かな環境で子ども達の五感を養い、自尊心を育むことを目指す。神奈川県逗子市に、保育園 ごかんのいえと保育園 ごかんのもりを運営。〝保育とパーマカルチャーとアート〟を掲げ、永続的な農業をめざすパーマカルチャー農園から、子どもを対象にしたアートスクールまで、幅広い活動を展開。

ってる。真面目で愛情深い子が多いから、ホームレスの話したら「いざとなったらうちの一部屋使っていいんで」って言われました。どんな情けのかけられかたやねん。

れ― めちゃくちゃ愛おしいですね、その光景も。さっき出会えるためのゲートっていう言葉を使ってましたけど、子宮孔というか、それを通して出会った子ども達みたいな感覚がありますよね。私も自分の会社がなくなってもいいし、代表が私でなくてもいいって思ってるし、私たちの仕事を通して今大事にしていることを共有したり、えっせらわっせら日々一緒に試行錯誤やれてるのがいい。そこから独立する子もいるし、関わり方が減っていく子もいるけど、ゲートをくぐって一緒に過ごした人とはずっとつながってると思う。

ま― 組織論で言ったら、ゲートはどんどん広げたいですよね。どんどん面白い人、こいつ頭いかれてるなみたいな人も、あらたな家族になるご縁がふえるかもしれないし。自分が『ごかん』のビジョンで描いている、強烈な個性が入り混じることに繋がるし、そういう世の中で暮らしたいと思っているから、ゲートは広げたい。そこに対してはめっちゃストイックに追求したいですね。

れ― そうですよね。いち、生き物としてのネットワーク。職業としてではなく、一人間としてのコラボレーションが生むネットワーク、みたいな話をしたことありますね。

ま― さっきみたいな幸せなホームレスになってもいいっていう達観もあるけど、そう思えた瞬間、『ごかん』っていうゲートの間口をもっと広げたいっていうモチベーションはめっちゃ上がってるんですよね。だからおじいちゃんって言ってるけど、全然隠居する気ないやんみたいな。モチベーションむしろ上がってる。

れ― いろんな人のパワーを吸い取りながら（笑）。

日本全国のママたちの嘘、
集まりました。

ママのついた愛のある嘘

写真／徳永陽介

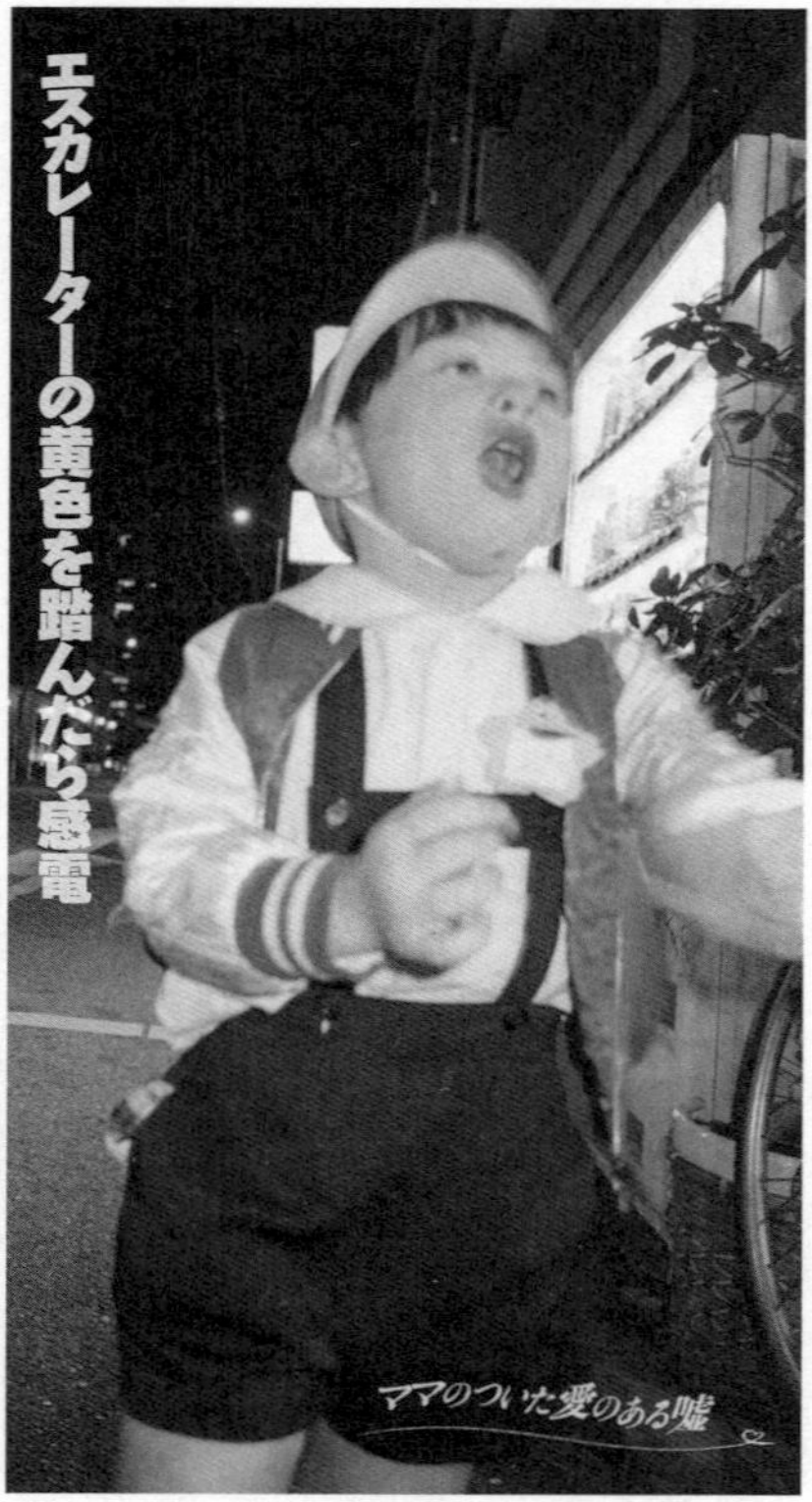
エスカレーターの黄色を踏んだら感電
ママのついた愛のある嘘

30代／女性Rさん／会社員

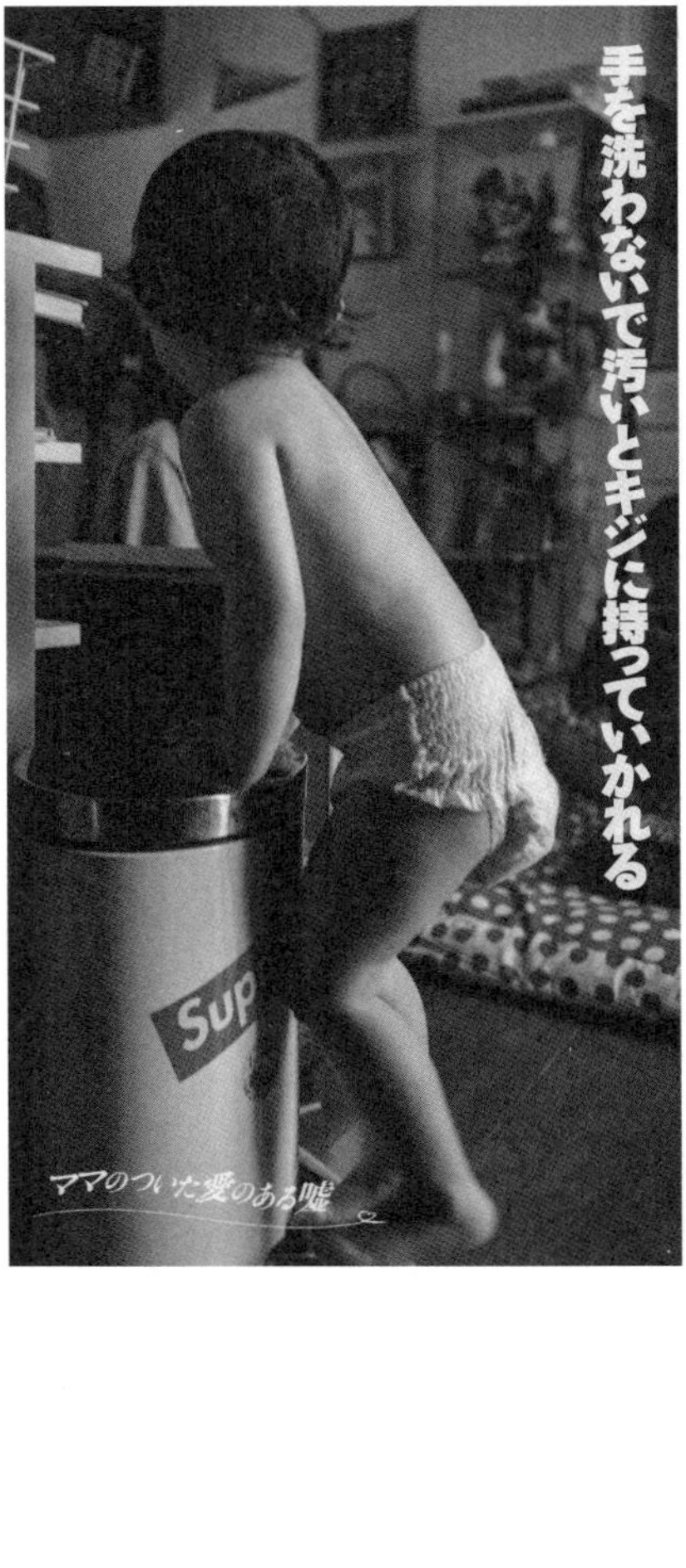
手を洗わないで汚いとキジに持っていかれる
ママのついた愛のある嘘
Sup

30代／男性Tさん／自営業

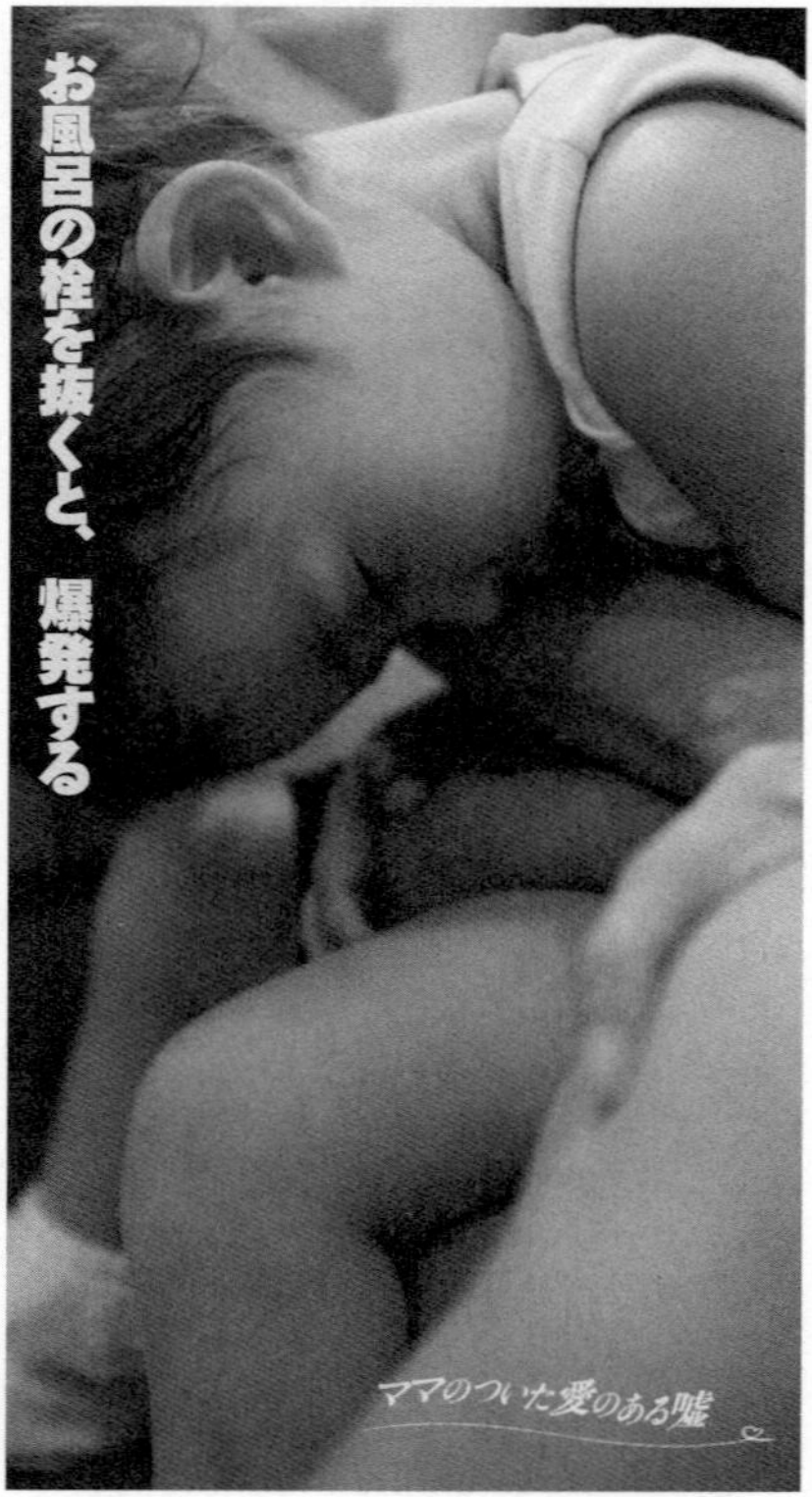
お風呂の栓を抜くと、爆発する
ママのついた愛のある嘘

30代／女性Mさん／会社員

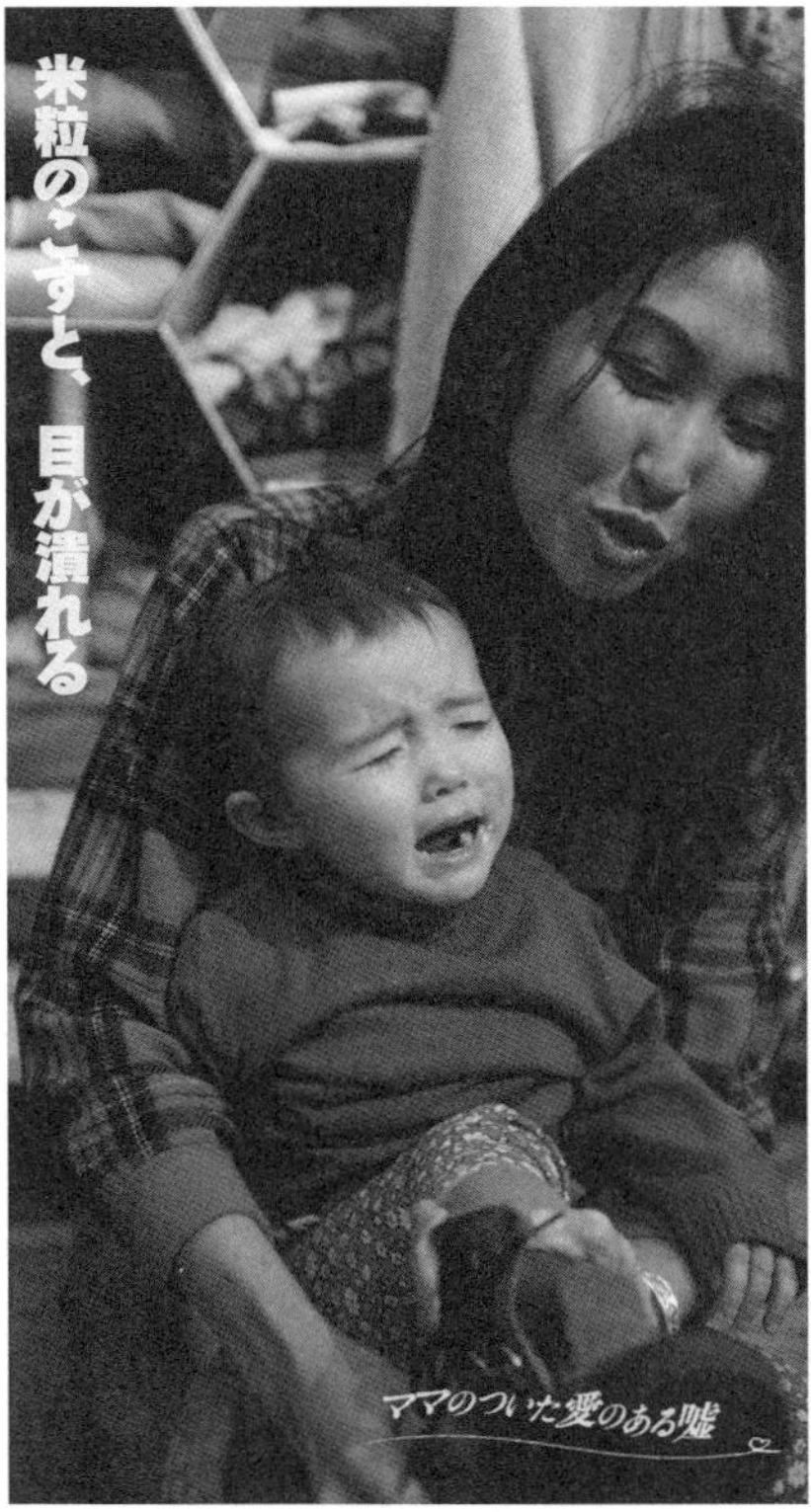
米粒のこすと、目が潰れる
ママのついた愛のある嘘

30代／女性Mさん／会社員

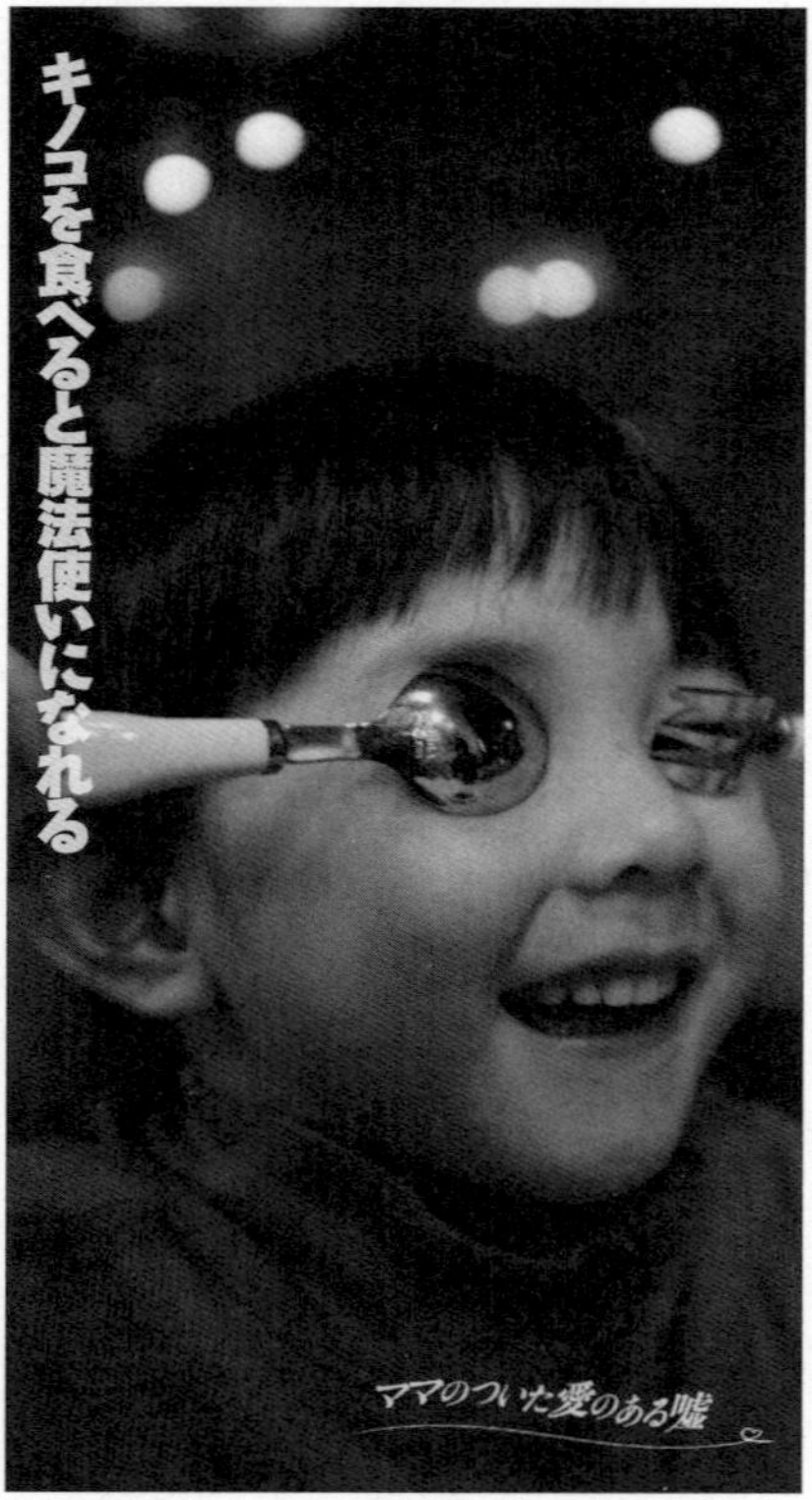
キノコを食べると魔法使いになれる
ママのついた愛のある嘘

30代／女性Yさん／主婦

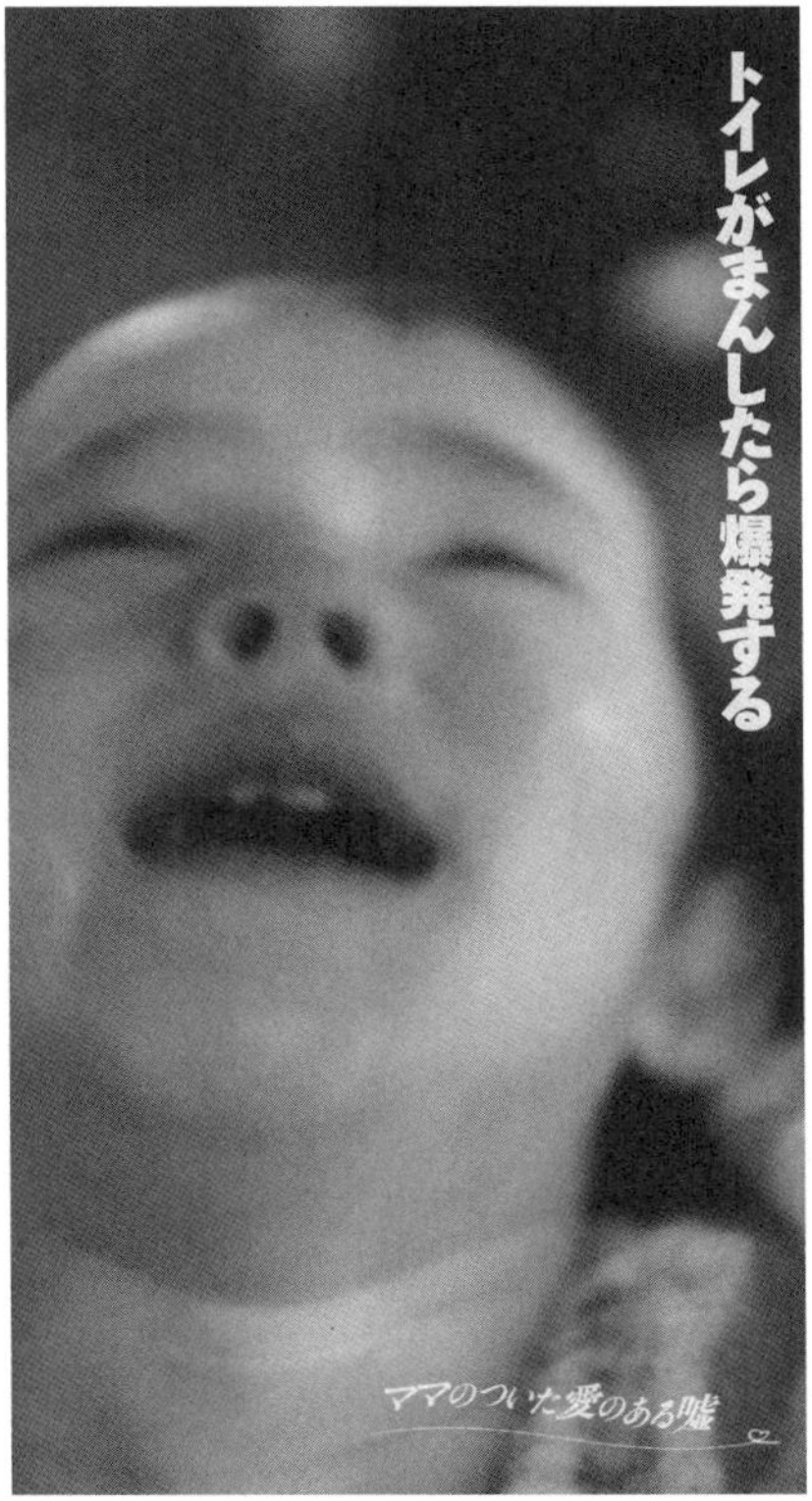
トイレがまんしたら爆発する
ママのついた愛のある嘘

20代／女性Dさん／学生

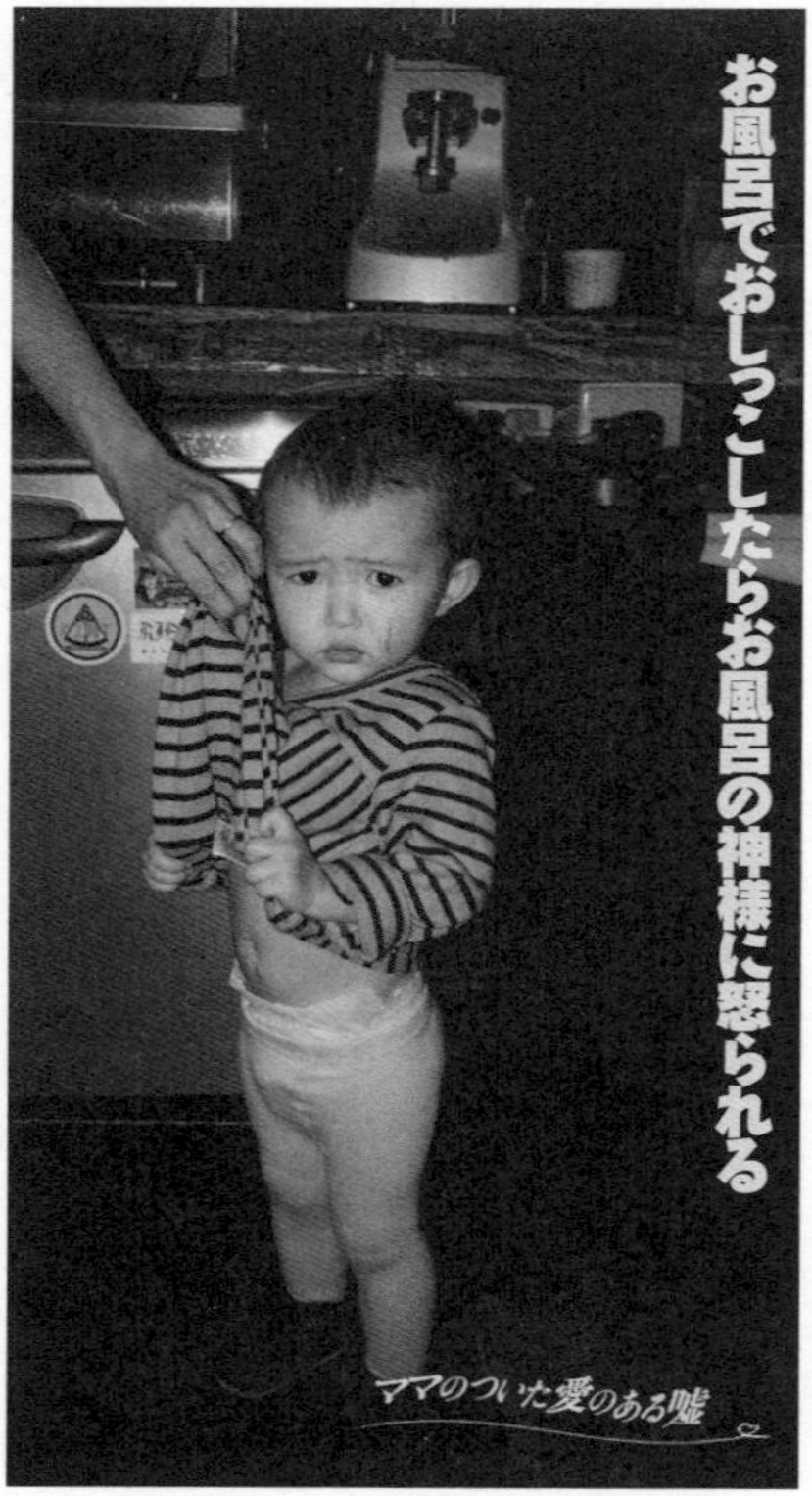
お風呂でおしっこしたらお風呂の神様に怒られる
ママのついた愛のある嘘

30代／男性Yさん／会社役員

親（42）と子（13）の会話の一部分。

神戸市内に住む家族が、自宅から車で30分あたりの場所に山を買ったらしい。山のこと、気づいたこと、変わったこと、毎日の親子の会話のほんの一部分。

親子
今津修平（42）父
今津蒼一（13）子

土がほしいから、山を買った！

修平（以下、修）：自由に使える土があれば、生産ができるから、土がほしい！っていう話をしていて。僕たち建築家は、ものを作ることの手伝いをする職業ではあるけれど、実際一人で自給自足して暮らしていけるのかとか、生きていけるのかなあとか、僕たちに生命力はあるのかなあと考えたときに、生命力はないなと思って。

そのとき、土があったら、水があったら、太陽があったら食べ物はできるなと思って、そういうことを日常の中でゆるく取り組んでいけるような時間と場所が欲しいって考えて、そこから土っていうキーワードがでてきた。息子と娘と一緒に何かできるなあとか、いろんな人となんかできるなあとか、決まったビジョンがあったわけじゃないけど、とにかく土が欲しくて、山に出会ったという感じ。

編：今みたいな話、お父さんとよくする？初めて聞いた？

蒼一（以下、蒼）：一回だけ聞いた、ご飯中に聞きました。

修：そういえばちゃんとなんで山買うかって話をしたことなくて。なんで山を買ったか一回話すな、って。蒼一とユイ（妹）にとってもいい経験、教材になると思っているって伝えた。これからの時代、お前らが大人になる時代は、一つの職業で生きていく時代じゃなくて、一人の人間がたくさんの職業を持つ時代になると思っている。例えば、大学生になって且つ絵描きもしていて且つ山で農業をやっているとか、そういうことが当たり前になっていくから、その時に一つの職業の中で、食べ物を作れるとか、自分が生きる中で必要なものを作れるってものすごく強みになる。みたいな話をして、選択肢とか、手に職を持つみたいなことをできたらいいなと思っているっていう。

編：それ聞いてワクワクした？

蒼：してない。あんまり頭に入ってこなかった。

修：それはなんでやろ？

蒼：なんかまだ土地があるってことが実感できてない。

修：実感がないっていうのはどういうこと？

蒼：なんか急すぎて、土地ってなんなんやろう？って思ったのがずっと残ってる。

修：おーなるほど。自分が持っている土地ってなんなんやと今、思う？

蒼：庭。庭と思ってる。

修：そうなんや、なるほどな。自分が住んでいるマンションもさ、みんなで共有、分け合っているとはいえ、自分の土地やと思うけど、そこは庭じゃないん？

蒼：うん、庭じゃない。庭っていう感覚はない。

修：山の方は庭って感覚があるん？

蒼：うん、離れた庭って感じ。

修：面白いね。最初山を買うことにするからって聞いたときはどう思った？

蒼：何言ってるかよくわからんかった。

修：喜んでたやん、やったー！って言うてたやん。

蒼：あんまり覚えてない、ウハウハしたのは覚えてるけど。

山の遊びかた、親子のみかた

修：最初に山を見に行った時のこととか覚えてる？

蒼：荒地すぎて、なんか、嫌になった。でも今は、毎週行ってる。

修：なんで毎週行こうって思うん？

蒼：やることがあるから。草刈りとか、遊びたいときもあるから。でもお父さんが行かないなら行かない。

修：そうなん！なんでなん？

蒼：そんなにめちゃくちゃ行きたいわけじゃない。あと車がないと行けない。

修：なんの心配（笑）山で何してる時が楽しいん？

蒼：穴掘ってる時。70㎝くらいの深さの穴。草を燃やしたくて穴を掘った。

編：へえ、そうなんや。日曜毎週山に行くようになって、家族の時間の過ごし方って変わった？

蒼：めっちゃ変わりました。日曜日は毎週公園いくみたいになってたけども、それがなくなりました。公園でバトミントンとかサッカーしてたけど。

修：そうやな。山買ったときすぐは、竹切って、竪穴住居を自分で建てるなんてしなかったと思うから、明らかにサバイバル能力か、創造力か、素材への知識か、わからんけど、いろんなものが身にはついてるんやろうなとは思う。なんもないのに、ただ遊んだりとかね。水に氷がはってて、それに落ちるとかな。

蒼：落ちてないで。

修：先週落ちたやん。分厚い１、２㎝くらいの氷はっとって。乗れるわあって行ったらバシャンいうて氷が割れてな。長靴の中に水入って…。あと蒼一は、草刈機使いこなせるようになったな。体も成長しているし、自然の中で振る舞える行動パターンは増えてきている気がする。最初は何していいかわからん感じやったから、とりあえず火でもつけようかってなってたし。

編：山についたらやること、色々ある？

修：あるある、山についた瞬間、解散！って感じ。みんな各々ミッションに取り掛かる。

編：蒼一くんは、家族と山に行くようになって、お父さんお母さんの見方が変わったこととかある？

蒼：全然ありません。
編：今まで通り？
蒼：はい。
編：お父さんこんなことできるんや、とか無かった？
蒼：なんかもともとできそうやったから、あんまり驚きとかない。
編：日頃のポテンシャルが高い…。すごい…。
修：基本評価高いな。そうなんや。
編：じゃあ、お父さんってどういう存在なん？
蒼：どういう存在？
修：なんでもいいで、いい匂いとか、ガラ悪いとか。
蒼：ヒゲと、ほくろ。
編：お友達にお前のお父さんどんな人なん？って聞かれたら何て言うの？
蒼：ヒゲ生えてて、ちょっと見た目は怖いって言う。パッと見、みんなビビってると思います。
編：中身はどう思う？恥ずかしいな、お父さんの前で言うの。
蒼：お父さんの中身？
修：見た目は怖い、けど…みたいな。
蒼：よくわからへん。
修：今のところ半分悪口やで。
編：お父さんに言われた言葉で覚えている言葉ってある？
蒼：ああ、それはある。「人間は簡単に死なへんぞ」っていう言葉めちゃくちゃ覚えてる。
編：いつ言われたん？
蒼：いつも言われてます。
修：いっつもは言ってへん、どんな人生や。
蒼：多分小学6年生の頃くらいに一番言われてた？なんで言われたっけ。
修：忘れてるやん。
蒼：でも言葉はちゃんと覚えてるよ。
修：そっか。

親子の会話は、つづく、つづく。

蟹家族

執筆
かに吉 大将　山田 達也

蟹家族

久しぶりに涙が溢れた。10年も会ってない叔母さん。父の姉さんだ。生涯独身。私が子どもの頃は田舎で人気の美容室の先生。しかし病気をし、仕事は辞めた。それから叔母さんは仕事をしなくなった。

私の母は、よく叔母さんにいじめられてたみたいです。嫁いだ嫁でしたし。働かない叔母さんを見かねて、私の父が生活保護の手続きをして生活をしていた。当時は見た目も汚く、私の叔母さんと言うことも嫌でした。そのうち、また病気をして、施設に。私の母が金銭も費用もみんな払って、月一で通っていたらしい。後から知ったことです。

父と母は、本当に仲が良い夫婦でした。しかしもう父はいません。30年前に他界。急に倒れ、そのまま神に帰りました。父には3人の兄弟がいました。ダメな兄弟で、父が兄弟の借金を全部かぶり母と返してきたのです。いつも朝から晩まで魚の臭いのする服を着ていました。借金は40年ほど前で8000万円。そんな時に父の弟と妹が『かに吉』を始めたのです。

私は、兄と相撲に明け暮れる毎日でした。大学まで専修大学の相撲部で活躍し、一応そこそこ強かった。しかし、腰を痛めて立てなくなり、最後のインターカレッジはレギュラー外。私は腐りました。もう相撲は辞めたと酒を飲み遊び、卒業まで危ない状態に。奇跡的に卒業し大学の先輩の会社に就職。いわゆるサラリーマンです。給料は3日で使いきる営業マン、借金も営業成績も会社で一番に。頭が悪い私は、書類も読めません。けれど不思議と部長に可愛がられていました。次に勤めたのは、六本木にあった高級料亭。当時は人気の店で芸能人も食事にくるお洒落な店内。私は中卒の若い見習いと一緒に、当時25歳で皿洗い。そこは一年ほどでした。

ある日、父からアルチューの叔父が倒れた、帰ってきてほしいと連絡がはいります。父の弟は借金まみれだったけれど、周囲には奢りまくる、まぁ派手な人でした。父は借金をかぶって、かに吉の経営を引き継ぎ、そのうえ弟をかに吉で雇いました。私は仕方なく帰り、かに吉に入りました。まぁ暇です。そりゃそうですよね、潰れそうなんですから。帰って来た時、周りの飲食店は「なんだ、あのアルチューの蟹屋か」とバカにしました。仕方ないと諦め遊んで飲み明かしました。

そんな時、相撲で町おこしの声があがり、株本建設工業の会長さんが倉庫に道場を作って、私に指導をと声をかけてくれた。私は小学生と中学生の指導を始めました。嬉しかった。相撲の指導ができることは、唯一の救いでした。しかし、全く勝てません。まぁ勝てるわけもない。学校ではデブでどんくさく、勉強は「？」なんていう、まぁほとんどが言わばバカばっかり（笑）。先ずは、どこから指導しようか、全く強くなる要素は見つけられなかった。一年、二年と経ち、試合は全部予選落ち。そんな時、1人の中学生が入ってきました。「この子は強くなる」と直感がはたらき、指導の日々。一年生で県大会ベスト8。けれど二年生になった時、肝臓に異変が見つかる。毎日毎日病院に見舞いに行った。直ぐに治るかと甘くみていたが、容態は急変、浜坂病院から鳥取中央病院に運ばれます。意識も戻りません。私はかに吉が終わった後に病院に行き、彼の両親と朝までそばにいました。しかし、彼は旅立ちました。劇症肝炎でした。相撲が原因なのではと、巷でそんな噂が流れました。10人ほどいた子どもたちも4人に。しかし、お葬式の時に彼のお父さんは「山田監督の看病もむなしく息子は旅立ちました」と。その言葉で私はとても救われました。

さぁ、いちからです。株本建設の会長さんが「頑張れ、道場は潰さない」と言ってくれた。励みになった。それから3年、とにかく厳しく厳しく指導を続けました。ある日、私の双子の兄のいる埼玉栄相撲部の合宿に参加します。そこで私の教え子たちが、勝つは勝つは。全国レベルの強豪中学生に負けないのです。毎日休みなしで練習し、練習後には腹一杯ご飯を食べさせ、私の給料全部子どもたちのお腹に消えていました。子どもたちの努力は、子どもたちをちゃんと強くしていたのです。それから県大会で春も夏も3連覇、近畿大会も3連覇。近畿の強豪のチームとの大会も優勝、全国大会3位、本当に強くなりました。28年、休みなしで続けた相撲の指導。小さな街の悪ばかり集め、月謝もとらず、全部費用を持って育て続けた日々でした。

　その間、大病をかなりしました。呼吸困難、自律神経、糖尿病等々。そんな中での父の死。悲しむ暇もなく、かに吉の再建に母と打ち込みます。しかし、鳥取のお客様は全く来ません。誰も来ない日々。しかし、母は強かった。商いはあきたらダメと弱みは全く見せませんでした。そんな中、また悲劇。自宅が不審火で全焼です。私の大病、父の死、自宅の火事。「なるようにしかならない」の母の一言で頑張れた。

　そんな時に、私は今の妻と出会います。鳥取一番のＢＡＲのママだった。当時は鳥取中の社長ばかりが訪れる店でしたね。

　妻は私より年上でした。けれど弱い一面も見せてくれた。私は、守る、と決めて結婚しました。結婚してから恋をした感じですね。当時はとにかく妻を守る、それに必死でした。周囲はまた噂を流します。あの人気ママが若いかに吉を、なんて。ある社長など色んな所で悪口を。まぁ当時は大変でしたね。

　母と私、そして妻との戦いは続きます。かに吉の再建をと店内の改装へ。当時１０００万円の借金をしました。妻はアンティークの収集が好きで、骨董やら器も沢山持ってました。今の店は、図面なしで妻と大工さんとの感覚で作ったもの。うまくいくと思った矢先、悲劇は続きます。私の目が見えなくなるんです。ひょっとしたら失明かもしれないという診断結果。私はもう病院の5階から飛び降りたら、なんて考えてしまった。でも、お金もないのに可愛がっていた数々のアスリートの顔が浮かびました。

当時、ガイナーレ鳥取のサッカー選手にご飯を食べさせたり酒を飲ましたり、プロ野球の選手がオフには来てくれていた。病院には有名、無名関係なく沢山のアスリートが。野人・岡野や中日ドラゴンズの岩瀬仁紀、「大将が居ないと僕たちはどうするの、神様は絶対に大将を救う」と励ましてくれた。岩瀬仁紀が２５０セーブした試合のボールをくれたり、前田遼一もゴールを決めたスパイクをくれたりした。ガイナーレ鳥取の選手たちは入れ代わりで毎日見舞いに来てくれたし、姫路の可愛い後輩も神奈川の大切な友人も、仕事を休んで来てくれた。自殺を考えていた私の気持ちは日に日に緩んできます。そして、兄からの「ピンチはチャンスだから」の一言で吹っ切れた。兄は、日本一の埼玉栄相撲部監督山田道紀です。あれから10年、沢山の先生に支えられ、まだ目が覚めた時に景色が見えている幸せを神に感謝する日々です。

そして今、踏ん張ってきた３人で全国のＶＩＰなゲストをお迎えする店になりました。蟹では世界初のミシュランガイド２つ星。ゴ・エ・ミヨ３コック。日本フーディー１００、農水省から料理マスターズ、食べログアワードではブロンズ賞獲得。父の弟妹がかに吉をやってなかったら今はないのですね。私が鳥取に帰って30年の年月が立ちました。

昨日、叔母さんと10年ぶりに会いました。余命10日くらい、身内も居ません。あれだけいじめられた山田家の嫁である母が10年間面倒を見てきました。きっと父の母に対する愛が深かったからなのでしょう。昨日、私は叔母さんの顔をさすり、手をにぎり、声をだし呼び掛けましたが目はあきません。魂で名前を呼び、ありがとうと頬ずりをしました。あれだけ汚いと思った叔母さんでしたが、涙が止まらなく、子どもの頃の叔母さんの思い出が溢れます。施設を後にし、帰りの車で母にあんたは凄い、とお礼を言いました。

か会いに行きます。お葬式は私がやると母に伝えました。

私たち家族は、お金はありませんが日本一の家族です。蟹でも頑張ってます。母は、叔母さんは生活保護ではなくもう一般の人として神に帰るのだと言いました。振り返れば、私は子どもの頃、叔母さんにたくさん可愛がってもらいました。叔母さんの美容室に行けば、毎日がクリスマス、いつもそこにはサンタがいましたね。子どものいない叔母さんは、施設で私たちの自慢ばかりしてたみたいです。ボケてからは、子どもは、子どもは、と探していたと看護師さんから聞きました。そんな、叔母さんも神に帰ります。あと何回

こんな生い立ちを持つ私が、今のかに吉の大将です。素晴らしい父がいて、辛抱強い母がいて、大切な妻がいます。尊敬する兄もいます。母と妻と、あと10年は、3人で元気にかに吉をしたいです。神にもらった蟹人生、あと10年頑張ります。

かに吉 大将　山田 達也
1965年、兵庫県浜坂漁港の仲買を努める家に生まれる。
鳥取市の商店街にある蟹料理店『かに吉』を父から継ぎ、
30年蟹と向き合い、2020年ミシュランで2つ星を獲得。

家族の膜

写真・文　徳永陽介

「実家だと思ってくつろいでね」。10年ぶりに会う志保ちゃんは相変わらずだ。家に着くなり保護者会があると言って、保育所帰りの末っ子を僕に預けて出かけてしまった。4歳の男の子に家の案内をされつつ、カメラを向ける。人見知りも物怖じもしない子だからか、撮られてることを気にしない。ポケモンにどうぶつの森にハンモックといま好きなものを一つずつ丁寧に紹介してくれる。そうこうすると長男長女が小学校から帰ってきた。礼儀の正しい挨拶をして、2人は宿題をはじめた。突然、家に現れた人間に驚く様子もなく、宿題をすすめていく。邪魔をしない程度にその様子もカメラに収める。静かな風が吹く。2020年7月上旬の小金井市にある築50年以上の古民家には、世間のコロナ禍の喧騒が嘘みたいに、柔らかい空気がそこにあった。「私と違って真面目に勉強するし、しっかりしてるのよ。反面教師かな」帰ってきた志保ちゃんは笑いながら話してくれた。

志保ちゃんとはサラリーマン時代の同期で、3児の母をするとは当時は思えなかった。時には、1人でモンゴルの砂漠を放浪するような自由人で、家庭という言葉が肩透かしを喰らうタイプだったからだ。それがいま、目の前で子どもの宿題を見守っている。月日の流れを感じつつ、シャッターを切っていく。「この写真、徳永くんからの誕生日にもらったやつだよ」書棚に飾られた写真。それは15年ほど前に誕生日プレゼントとして贈った写真だった。まだプロでもなく趣味程度で写真を撮っていて、初めて額装したものだったと思う。

いま改めて見返すと、下手くそな写真だけど、今でも好きだなって思った。「僕は生まれたときからずっと見てるのでウチの家具みたいなもんですよ」。長男は宿題を終わらせたご褒美のアイスを食べながら話してくれた。その家族とともに年齢を重ねるような写真になってることに少し泣けてきた。成長を刻んだ柱、毎朝取りに行く牛乳受け、夏の時期になると庭に咲く花。そんな家族の風景が好きだ。

そんなこんなで居間に戻ると近所の子どもたちが集まっていて、スイカやらかき氷やらを頬張っていた。志保ちゃんの家らしいなって思った。誰とでも友だちになって、それを誰にでも紹介して、輪を広げていく。そんな人だから、自然と人が集まる家なんだろう。そろそろ家族の集合写真を撮ろうかと声を掛けた。庭に気持ちのいい西陽が差し込んでいる。

末っ子と長女は愛犬と遊んでいるが、隅っこで長男は年頃のアレで嫌がっている。「パパに元気な顔見せてあげよう」。その言葉に渋々お引き受けいただけたみたいだ。齋藤家（志保ちゃん家族）のパパは海外に単身赴任中で、このコロナ禍で帰国できず、長い間会えていなかった。パパに元気な姿を見せたい、でも写真は嫌だ。そんな気持ちから、長男から一つのご提案をいただく。「プロだったら一枚だけでいいよね？」挑戦的な言葉とは裏腹な救いを求める目。正直な話、フィルム撮影で一枚だけはあまりにハイリスクな賭けだ。でも人生の先輩として、いやプロとしての意地で余裕で頷く。いつにない緊張感。光を敏感に感じ、フィルムをセットし、露出を考え、家族と向き合う。最高のタイミングを待つ。「はい、チーズ！」その写真は末っ子と愛犬が半目という奇跡。半目は記念であり、逆に半目の写真は狙って撮れるものでもない。というプロの必死の言い訳と本音。でもなにより何十年後かに見返した時に、この写真でみんなで笑ってくれたらいいなと思う。家具みたいに、庭の花みたいに、また家族の景色になってる未来を想像するだけでニヤけてしまう。別れ際に志保ちゃんが言った。「パパが帰ってきたらまた撮影してね」。その日が訪れることを心の底から願うばかりである。

saigonia

家族写真を撮影するときに感じることがある。それはオブラートのように透明で、目には見えない膜のようなものだ。どれだけ撮影の技術や写真の才能があっても、その内側には踏み込めない気がする。家族とは？とよく聞かれる。十人十色みたいに、一つとして同じ家族はないのだけど、写真家として感じる透明な膜がその答えのような気がしている。それは単なる血の繋がりや婚姻関係の有無とかではないと思う。表現する妥当な言葉が見つからない。どんな家族にも抱えている問題や事情があって、絵に描いたように幸せで悩みのない家族なんて少ないと思う。それでもファインダー越しに見える家族からは、その名前のない透明な膜を感じられる。希望？愛情？歴史？いや、そんな単純な言葉じゃない。透明な膜。目には見えない入り込むことはできない。ファインダー越しに家族を見ると感じるもの。それは写真家として豊かな時間だ。そしてシャッターを切るその瞬間だけは膜の内側にいるような気がしてしまう。もちろん錯覚とはわかっているが、その感覚がまた味わいたくて家族写真を撮るのかもしれない。

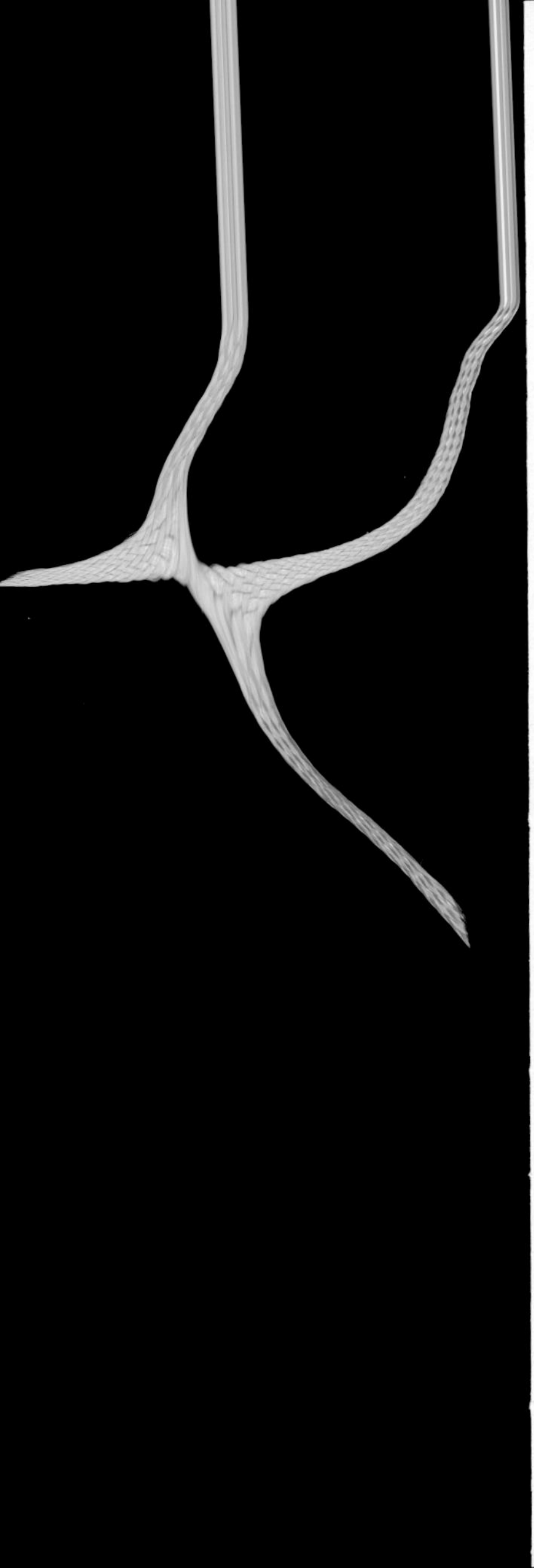

徳永陽介

写真家。コロナ禍、「欠片すら残らないような一瞬の記憶を、未来の記念とする」と掲げmementosと名付けた出張撮影を行う企画を起ち上げる。様々な家族の欠片を切り取り継承していく人。

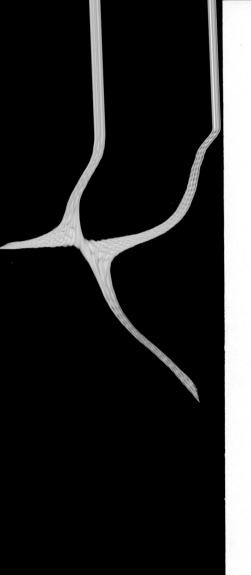

エラーのゆくえ

10週間で14㎜まで育った命がとまった。「99・9%このまま育つことはないですね」と先生が気遣いながら優しい声でこちらを見たので、寂しさと悲しさが入りまじって目の入り口まで出てきていた涙をぐっとこらえて話を聞いた。どこかでそんな気がしていた自分もいたことに驚いた。なんとなく分かっていた。帰り道、カエルは卵を1、000個くらい生み、ウシガエルなんかは1~2万個を生んで、そのうち大人のカエルまで育つのはほんのわずかという記事を読んだ。最後にあった〝生き物に起こるエラー〟という言葉が焼きついた。生き物が育つということが当たり前じゃないことは分かっていたつもりだったけど、自分に起きたことが特別なことじゃないことを改めて思わされた。エラーなんだからと思っても、そこから離れさせてくれない自分と次に進ませようとする自分が交互に訪れていた。前を歩く親子を自転車で追い越そうと加速した時、このままどっかに行ってしまいたい気持ちになった。同時に、うっすらお腹が空いて何か食べたいなと考えていた。

魔女が卵を産んだ

文　南美月
絵　南美晴

大阪の箕面に、野生の猿が生息していることで有名な山がある（以前は餌付けをおこない動物公園として観光客も呼んでいたが、獣害が問題となり閉園し、猿たちは次第に人間から離れ野生に戻っていったらしい）。父はその猿山の猿だった。群れのほかの猿たちとうまくやれずいじめられていたから、父とその母猿（私の祖母）を母が魔法で人間にして助けた。それから彼らは家族として生活するようになり、私が産まれた。

母は、子どもが産まれるまではこれから何が起こるのかよくわからずぼんやりしていて、生まれた瞬間その存在を目にして衝撃を受けた。動物として母となったことが、母が母となったはじまりであった。幼い頃からかわいがっていた犬のごろんたに及ぶ存在があることを初めて知った。祖母は母乳の匂いを覚えた犬が子どもを食べてしまうと反対したが、母はごろんたにも母乳を分けた。その後、子どもを危険にさらさないようにと、母は魔法を捨てた。

2歳の私と母は、近所の小学校の校庭で飼われていたアヒルをよく見に行った。その頃母は妊娠していた。ある日おへその穴が広がって産まれてきたのは、スイカくらいの大きさの卵だった。母が産んだ卵は、父がどこに行くときもいつも連れて行って温めつづけた。しかしある朝、父が会社に遅刻しそうになり、家からの坂道を自転車で大急ぎで下っていると、段差で自転車が大きく弾み前カゴから卵が飛び出してしまった。道路に転がった卵にはヒビが入っていた。その晩、産科の病院で父と母に見守られながら、ミキミキと音を立てヒビが広がり卵が孵った。祖母と私は、待合室でバナナを食べながら待っていて、産まれたての妹をはじめて見た私は「ガーガー」と呼んだ。

妹の幼なじみにもひとり、卵から産まれた女の子がいた。その子は身体が大きかった。妹が小さくガリガリなのは父が卵を落としたせいなのだ。

親子の出会いや誕生にまつわる作り話は、そこらじゅうの家庭で語られてきたのだろう。橋の下で拾ったとか、木から落ちてきたとか。私の家族も同じように、母はこんな話を聞き飽きるほどした。バラバラの作り話や思い出話を入り混ぜてみたら、それは確かにあの家族の話だった。家族の人となりや出来事から紡ぎ出された話は、馬鹿馬鹿しくありながらも、なんとなく大事に心に持っている。妹の描いた絵を見ると、彼女も同じなのだろうと思う。魔女とか猿とか卵とか、そんなのは嘘に決まっているのに、嘘だと言って捨ててしまうことができないのは、それがどこか現実味を帯びているからか。母がどうしてそんな嘘を言うのか、なんとなくわかってしまう。嘘を作り出すことで、愛を表現し、ちぐはぐを受け入れてきた。

両親が結婚前、箕面の山に出掛けて大喧嘩したことがあると最近になって母が教えてくれた。子どもの頃、父と祖母の故郷である箕面の滝には家族でよく出掛け、もみじの天ぷらを食べたことを思い出す。

母は人の社会に生きながら、ワオーンと遠吠えするのを日々我慢している。

サンタクロースとトナカイになった話

サンタクロースになった話

「シカがほしい」となんども言っていて、と、とあるお母さんからお聞きした。

「シカいいのありますよ」と言ったとき、私はもうサンタクロース（以下サンタ）になれたのだと思う。

というわけで、私は晴れて、サンタになった。それはそれは、誇らしい、光栄な気持ち。その日から、私はサンタとして、全うに生きた。できるだけ、慎ましやかに、柔軟に、プレゼントの準備を行う。そう、私がサンタであると誰にもバレてはいけない。サンタであることを公言してはならず。シカをこっそり受け取りに行く。ラッピングを開けるときの高揚感は大事にしたい、でもゴミにならない包み紙を探す。ペンギンの絵が描かれたいい巾着があった。これは良さそう。おもちゃ入れなどに使えるかもしれない。リボンは赤色。これは絶対。サンタの掟だ。カードも用意しよう。サンタからのメッセージを書いてはならぬ。筆圧等で身元バレは、避けたい。サンタはサンタであることを誰にもバラしてはいけないのだ。だから、これは母が書いた方がいい。添えるだけにしよう。よし。

うちのサンタは、枕元にプレゼントを置く形ではなく、24日の23時ごろに玄関前に置いてあるという流派だった。母も父も同じ部屋にいるので、それはもう、（誰かが）勝手に、（私も家族も）知らず知らずのうちに置いていったとしか思えなかったのである。それだけではないが、私はうちのサンタの流派を脈々と受け継いだ。そう、小さい頃は、サンタにプレゼントをもらっているのではなく、サンタは次のサンタを育てているのである。サンタはそこら中にいて、そこら中でサンタを全うしている。この今もこの瞬間も、息を潜め、次のサンタを育てる準備をしているのだ。私はこうして、無事にサンタ1年生をクリアしたのだった。

トナカイになった話

12月25日、わたしは生まれてはじめてトナカイになりました。サンタクロースを運ぶお仕事です。彼は目標のおうちに着くと、ソリから降りて玄関へ（わたしのサンタさんは煙突ではなく、玄関から入るサンタさんでした）。戻ってくると彼は「小さなカメラが欲しいなあ」と言います。「僕をみた瞬間、こどもたちは本当にキラキラしているから」だそうです。いつもとは違うこどもたちの輝きを、ぜひ親にも見て欲しい。そう言う彼を見て、ああ、トナカイでよかったなあと思いました。

〝present〟は、贈り物のほかにもうひとつの意味があります。それは〝今〟。あなたが今生きていてくれることが一番のプレゼント。それを伝えることが、サンタの意味なのだ、と彼は言っていました。何もそれはこどもたちへだけでなく、大人に向けたメッセージでもあるそうです。

サンタクロースはクリスマスが終わると、わたしたちと同じような格好をして街に住み、わたしたちの生活を見守っているのだと教えてくれました。気づかないところでサンタクロースが、わたしたちの見えない努力もこっそりつまみ食いする姿も、全部見ているんだと思うと、なんだかとっても温かな気持ちになります。それでは、また来年。

注：このサンタクロースとトナカイは別の地域のおふたりです。本文は、日本語で書かれていますが、国は明らかにいたしません。ご想像にお任せいたします。

実家に帰りたい

いろんな家族を伝聞口承

1 下宿を1年したことがある。その下宿中に母親が救急車で運ばれたと連絡があった。家で転倒して、頭を角で打ち血はダラダラ、気絶してその後に救急車で運ばれたらしい。連絡は、その運ばれた後の母親本人からだった。私は、なぜかとても怖くなって早く実家に帰らなくてはと思い、バイトのマネージャーに泣きながらその日のバイトを休ませてほしいとお願いした。マネージャーは「いってあげて、バイトのことは心配しなくていいからね」と言ってくれた。マネージャーの優しさにしみじみして帰り、母親に何があったかを聞くと、椅子の上に椅子を置いてその上に立ち、電球を交換しようとしていたらしい。落ちる瞬間手に持っているガラスが割れたら危ないと思って体の向きを変えたために頭を打ったらしい。その後、マネージャーに「お母さん大丈夫だった？」と聞かれたとき、母親は椅子の上に椅子を置いてその上に立ってバランスを崩し、ガラスが割れたら危ないと思って体の向きを変えたために頭を打ったとは、言えなかった。

3 毎年、ここに餅いれるねん。

5「楽に生きなさい」

6「いってきます」と言ってから、家を出るのがとても遅い。いってきます、の言葉は、「今から私家を出ますよ～」の言葉なのだから、母は私がいないものと思って、部屋の中を歩く。だが、私はその予想を裏切り、母の前に現れる。母はひぃっと小さい悲鳴をあげる。

8「おかえり　冷蔵庫の中にあと2品あります」

9 学校の先輩のさやかさんは、高校のころ声が出なかった時期があったらしい。「それがさ、本当にさ、お母さんが居なくちゃ、私生きて、いけなかったよね」と、聞いた。「絶対私、死んじゃってたよ」さやかさんは4人家族で、更には父方のお父さんとお母さんも一緒に住んでいる。さやかさんのお父さんとお母さんは高校からの付き合いで（恋人で）、今もラブラブで暮らしているらしい。詳しいことは、知らないが。高校の恋愛なんて、恋愛だと思っていなかった私は「天然記念物ですね、それは」と敬意を込めて言った。うまいことというね、と笑った。

26 家族が書いた置き手紙を捨てられない症候群です。

27 父親は、私が毎日お弁当を食べる浪人の1年間毎日お弁当を作ってくれた。お父さんは、私が毎日勉強していた浪人の1年間毎日お参りに行ってくれていた。どうも、ありがとう。

34 ある日、「洗濯物干さなきゃいけないから、俺は帰る」と、朝方に言う。ある日、「今日は、大丈夫なの？」と聞くと「今日はもう干してきた」と言う。ある日、「今日は、干してきたの？」と聞くと「弟に頼んできたから大丈夫」と言う。

40 「それかわいいね、どこの？」「お母さんの」「じゃあ女物？」「うん」「男の子が華奢な時計してるのいいね」「それ、ぼくも思ったで」「思ったんかい」

41 「それいいね、どこの？」「これはお父さんの昔着とったやつらしい」「似合ってんねぇ」「ありがとう」

47 「はよ、お風呂はいってや」「大丈夫、うちんちの家系みんな早いから」「期待するで」「お父さんなんか3分で入ったりするからな」「いや、何の自慢か全然分からん」

48 「また、じいちゃん、あんたのこと話してたで」実家に帰るといつも友人のじいちゃんは、私のことを話すらしく、友人の実家での土産話を聞くたんびに聞くから、本当にいつもらしい。あの神戸の子は今年はこんのか、とか、あの時あそこの信号に引っかかっていたら帰りのバスには間に合わなんだ、とか誇らしげに語るらしい。一度、じいちゃんの軽トラでバス停にまで送ってもらったのだが、なぜか友人の実家を出るのに手こずって、バスの発車2分前にバス停についた。じいちゃんの軽トラは、すごいスピードで田んぼ道を駆け抜けていった。私はじいちゃんの話に相槌を打ちながらも、窓から入る太陽がポカポカ暖かく寝てしまっていた。友人の土産話を聞くところによると、私が寝ていたことには気づいてないらしい。

実家に帰りたい

いろんな家族を伝聞口承

49 「帰りに絹ごし豆腐とおうどん1玉買ってきてほしい」あ、今日は鍋や！

50 「もしもし、あと葛きりも買ってきてほしい〜」「ほーい、おっけい〜」やっぱり！鍋や！

66 ばあちゃんちは、うちから走って3分。寒い寒いと言いながら、走ってばあちゃんちへ行く。走ればいいから、上着は着ない。ばあちゃんちに行けば、フライパンごと焼きうどんが出てくる。「うどんやき」じゃなくて「焼きうどん」ってこっちの人が言うのん、家出てから知った。

69 白目をむいて「ねえ、見て」と母の前に現れる。母は必死に見ないように、私の奥にあるテレビを私ごしに必死に見ようとする。「なあ、見て」って。私は一瞬白目を黒目に戻した。「なんかいいことあったの？」と聞かれた。

78 来月、お父さんと北海道へ行く。お父さんと旅行をするのは3回目。お父さんがそう言ってた。遠くの海に行った時、富士山に登った時、後1回も言ってたけど忘れちゃった。この北海道は忘れたくないなぁ。来月、楽しみだ。

81 フランス語の授業でいつも隣の席に座る女の子のお母さんのラインのアイコンはドアップ。みっちゃんのお父さんのラインのアイコンは、みっちゃんのお父さんが仕事で使うヘルメット。なぜ。

85 ホワイトデーなにがいい？ってお父さんに聞かれて「昔の生き物図鑑」って答えた。ちっちゃい手作りチョコ（溶かして固めたやつ）であんな大きい分厚い図鑑が手に入るなんて、ラッキーだぜ！と思った。今も本棚に、お父さんが買ってくれた図鑑があって、私の子供が生まれたら全部あげるつもり。

93 「この前のインスタに載せとったライブ誰といったん？」「親父」

96 かなりの几帳面。これは、祭りについてのメモ。母「学ぼうとするよな、あの人」

97 両親の結婚指輪。結婚したときよりお互い太ったみたいで、父さんがディスプレイした。

99 「家族は、いろんな形で変化していくんやね」

181
1
3 4 5 6 7 8
10 11 12 13 14 15
17 18 19 20 21
24 25 26 27 28
31

TALK

「父性と母性」

思考記編集部 れみとくまの 話す 編集後記

50人の群れ

れみ（以下れ）：くまさん、突然ですが思考記はどうですか？

くま（以下く）：本当に面白いですね。４つのテーマを聞いたら、どれも同じような話に偏りそうだなあと思っていたんですけど全然そんなことはなく、父性と母性は特に、どこにでもあるものなんだなあと感じました。

れ：父性と母性が特にそうだと思ったのは、どういうところ？

く：「組織の父性と母性」の、自分ひとりの中に父性と母性がどっちもあるというのが面白いなと思いました。女の人だから母性とか、そういうことじゃないんだなあと。場面や対している人によって、自分が使い分けていたり、役割分担をしているんだなあと思いました。

れ：そうやね。思考記は、いろんな物事を複眼的に見るようなテーマを設定してると思うんやけど、自分の中に全部両面性があるからそう思うんやろね。自分はけっこう親の影響を受けた人格やと思っているんよね。だから自分にとって父と母の存在は圧倒的で偉大すぎて、父性と母性のテーマを考えるってどういうことやろうって、最初の一歩がめっちゃドキドキしていたなあって思い出した。

く：そうですよね。家族は自分にとって重大なものである気がします。考えようとするだけで、泣きそうになります。

れ：親からの愛を思って泣きそうになるの？

く：そうですね。だんだん自分でお金を稼ぐようになってきて、自分以外の誰かを養ったり、家族を作ったりしてきたことが、親って本当にすごいなあと改めて思っているところでした。

れ：もともと父性と母性っていう言葉にけっこう完璧なイメージというか、物事が完璧な状態に到達している時に使うイメージがあってんけど、今回父性と母性のテーマをやってみたら、本当に人のなかの一部やなぁと思った。自分の未熟なところを、自分の父性的一面って言っているところもあるなと思ったり。

く：れみさんの父性的一面ってどういうところですか？

れ：たとえば、守りきらないとこ

ろとかかなあ。母は圧倒的に包み込んで守りきるイメージ、父はもうちょっと先をみて、突き放すイメージがあるんよね。自分は子どもがすごい好きやけど、子育てをけっこう他人に委ねていて、その辺を自分の父性的なところと捉えているかもしれない。河合隼雄さんが言ってたんやけど、子どもは、生まれて一年ちょっとはやっぱり女の人でないとあかんねんて。母乳によって生命が維持されるというのと、やっぱり女の人の柔らかさで赤ちゃんは安心するんですよって。確かに我が家においては、こっちゃん（息子）が私とはまちゃん（夫）と過ごす時間はほとんど一緒やけど、でも母への執着はすごいあるなって思う。

く：生まれて一年経った前後で、変化はありましたか？

れ：ああ、どうやったかなあ。はまちゃんが父になってきたというのはある気がする。

く：どういうところで父らしいなと思うんですか？

れ：どういうところやろうなあ。はまちゃんとこっちゃん二人での時間が成立しだしているってところかな。やっぱり一歳半までは命の要となる母乳をあげてるのが私だったから、私がいないと成り立たない感覚があったけど、今はそうじゃなく、はまちゃんとこっちゃんだから楽しめる時間ができてきているなあ。くまさんの中にある父性ってどんなところなん？

く：自分の中の父性、わたしはあんまり考えてなかったです。父性も母性も感じる場面が少ないなと思ったんですけど、それは、何かを与える立場をあんまりしないから、という気がしました。今は仕事面でも教わることが多く、親のことも、まだ親として見ている部分も多いので。

れ：ああ、なるほどね。父性的、母性的みたいなイメージって与えているシーンで使うことが多いかもしれんね。与えられている人に対してはあんまり言わへんもんなあ。3才のこっちゃんでも私に与えてくれる、母性的なところがあるなぁ。私の頭をぽんぽんしてくれたりとか。

く：そうですね。道端の花にお水をあげるのも、母性的な感じがありますね。対象はなんであ

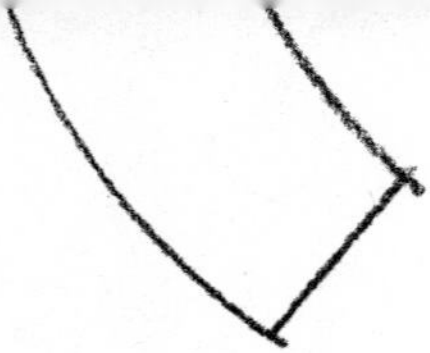

れ、与えている行為に母性や父性を感じやすいかもしれないです。

れ：そこまでは利他の精神にはなれへんわ、みたいな境界線もありそうやね。山極寿一さんの話にあったゴリラの話やねんけど、ゴリラって基本的に集団行動してるやん。その群れの数が15頭くらいが、言葉を交わさずに意思疎通できる関係がつくれる数なんだって。50頭くらいになると顔と性格がわかって一緒に動ける集団の数で、150頭くらいが会話をあんまりしなくても信頼のおける仲間になれる規模感らしい。アフリカの狩猟採集民がちょうど150人くらいなんやって。私は50人くらいが、ちゃんと愛情を伝えられたり、相手のキャラクターを把握できたりするギリギリの量なんじゃないか、と。人間は、デジタルでいろんな人と繋がれちゃうけど、本当はそれくらいの人数で付き合ったほうが豊かなんじゃないかな。父性とか母性くらい、ある種パワーの必要な与える行為って、そんなに全員には無理なんかなぁって思って。

く：確かにそうですね。前に年賀状を書こうと思って相手の名前を書き出していった時、それこそ、50人しか思い出せなかった記憶があります。

れ：うちらの記憶の制限みたいなのがあって、思い出せる範囲もあるのかもね。私でいうと、わかりやすい血縁がある家族、KUUMAっていう会社にいてくれる人、はまちゃんの周りにいるレストランチームのみんなとか、あとは、この人とはなんかずっと意見交換していきたいなと思う友達とか先輩とか、ほんまにそんな風に考えていったら50人くらいかも。あと、ゴリラの話でいくと、その集団みんなで子育てをするというのを聞いたことがあるんよ。私は子どもを産んで、子育てを自分の思想だけでやるのに、もったいなさを感じていて、できるだけたくさんの人で子育てできたらいいなあって思うようになってん。でも今の社会だとなかなか難しいやんか。両親とも同居していなかったり、隣の人との付き合いがなかったり。50人の中に、私は入っていても、私の子どもまで入れてくれる人ってなかなかいないんよな。でも、職場に連れていって、大事な人に会ってもらうとかしているうちに、あの場所にいったら私がいなくてもこっちゃんが楽しそうに過ごせるこっちゃんのテリトリーというか、家族の場ができていくような気がして。それはひとつ、親にできる環境提供じゃないかと思うんよね。こっちゃんに向けられる父性と母性の機会を、できるだけたくさん増やしたいなと思う。

く：面白いですね。自分の大事な人が50人の中に入っていても、その子どもまで50人に入れていることって確かにあんまりないなと思いました。

れ：こっちゃん発信の50人と、私発信の50人と、くまさん発信の50人、その枠が重なってるところもきっとあるやんか。こっちゃんは自分で50人を選ぶことはできひんから、こっちゃんにはこの50人が気持ちいいなというのを他者からみて決める枠というのもあったりして、枠の重なりがたくさんありそうやね。

く：ああ、なるほど。人間の50人とゴリラの50頭は違うのかもしれないですね。ゴリラの50頭はきっと、どのゴリラでも枠が重なっていますが、人間はバラバラでそれぞれの円があるような気がします。

れ：うんうん。基本的にその50人の集団って生命を維持するための集団な気がして、人間の父性と母性は、生命の維持だけじゃないものが、もしかしたらあるんかもしれんね。

く：そうですね。何を維持しているんですかね？

れ：例えば、『組織の父性と母性』の企画でいくと、どう人生を楽しむか、どう個人と個人のコラボレーションを豊かにしていくか、とかがあったような気がする。そういうところに、父性と母性が発揮されているような気がしたなぁ。

く：確かに。学びがあるとか、刺激をもらえるとか、そういうところが群れをつくりたくなる感覚に近いかもしれないです。

187

特集

お金

大きくて早いものに
すべてを飲み込まれる前に

愛と希望の共同売店プロジェクト　山田沙紀

自分たちの想像を超えて思いもしない方向に社会が進んでいき、時として、自分たちの足元が揺らぐような出来事が起こる。大きくて、早いものに飲み込まれていくように。

そう、それは突然にやってきた。いま暮らしている集落のすぐそばにコンビニができるというニュースが舞い込んできた。私の生まれた街、東京であれば、こんな出来事では動じず、コンビニができたことにも気づかなかったかもしれない。でも、そのニュースを耳にしたとき、頭がグラッとした。いま暮らしているのは沖縄にある山と海に囲まれた60人ほどの小さな集落。コンビニやスーパーは車で30分ほどかかる距離にあるため、ここの生活の風景のなかでは、つよい違和感を感じる存在だからだ。身近にあるのは、昔から地域につづく『共同売店』。実はその『共同売店』が、コンビニへと姿を変えるというわけだ。

共同売店とは沖縄で100年以上も前に生まれた相互扶助の精神で、地域の人たちが自ら出資・運営して経済を動かし、生まれた利益は地域に還元する仕組みである。琉球から沖縄となり、現金経済が押し寄せて生活が激変した時代から、全てを失う戦争を経て今に至るまで、地域の暮らしを支え続けてきた。私は大学生のときに共同売店の姿に興味を持ち、その役割や可能性について考えて見つめてきた。しかし、現在は限られた地域にしか残っておらず、『愛と希望の共同売店プロジェクト』という名を打って、共同売店の知恵から学び、守り伝える活動をおこなっている。

沖縄はこれまでの歴史や経験を振り返ると、いまも苦しみを抱えながらも、私たちに気づきや問いかけを与えてくれる島である。経済成長という名の下に押し進められた資本主義によって、何がもたらされたのか。その方向性は何を意味しているか。誰の意思によって歩みを進めようとしているのか。人々の心のよりどころや自然の恵みを顧みず、押し進めてきたようなこれまでのやり方の経済は、いつか人々や自然の限界がやってきて、行き詰まるだろうと考えたりもする。そして、いまの社会は有事の出来事によって簡単に断たれてしまう、そんな強い危機感すら覚える。これ以上、看過するわけはいかない。

コンビニに行けば24時間モノが手に入り、ネットを駆使すれば移動しなくても世界中から欲しいものが届く時代。どのような場所や人、方法で作られているのかというつながりは見えにくくなり、あまりにも大きくて早い経済活動がどのような影響をもつのかと考える前に、次のモノを欲してしまう。

このようにテクノロジーが発達しつづける時代において経済を何よりも優先することで、本来あるべき自分や地域とのつながりを考えるいとまもなく、あらゆる隙間に入り込んでくる。その結果、私たちの生活のありようや価値観が大きく変わったことは言うまでもなく、風土のなかで育まれ、地域の経済を担ってきたものは疲弊して、いつの間にか忘れ去られてしまったのだ。人と土地が結びついて生まれる文化や知恵は、その土地で暮らし続けるためにとても大切な営みであり、精神であるはずなのに、それを置き去りにして現代を生きていくしかない選択肢がわたしたちの暮らしを構成している。民俗学者・宮本常一氏が伝える〝進歩のかげに退歩しつつあるものを見定めていくこと〟ができずに私たちは今も鈍感なままで、むしろその感覚は衰えていく一方だ。

共同売店は、経済によって大きく変化した社会に対応しながら、現金収入が得にくい地域でこれからも暮らし続けるため、自分たちに必要なものや取り組みを住民同士で話し合って意思決定をしてきた。また、人とのつながりや土地への愛着に基づいた経済であるため、共同売店の利益は、たとえば病気や怪我を負った人への医療費の貸与、奨学金の給付・貸与、ムラの行事への寄付というように、地域に還元することで身の丈に合った経済循環を実現していたのである。しかしながら、今ではその共同売店もこれまでの仕組みでは成り立たなくなり、さまざまなしわ寄せが押し寄せ、苦境に立たされている。

私たちがいつの間にか忘れ去ってしまったものとは何かと思考をめぐらし、存在を確かめることができれば、それはきっと息継ぎをすることになると思う。そのためには、手足を動かして、人や土地、文化、自然に呼応するものを丁寧に取り戻す作業が必要ではないだろうか。ネットがない昔を羨むことや、経済を中心に動く社会の構造をただ悲観するのではなく、身近にいる人や自分の暮らす土地、文化に愛着を持って、知恵と協力によってこれからの未来をつくっていく。言葉にする余地がないほど身近な当たり前と向き合い直す作業を通して、そこに宿る価値や意味を、自分の中へと取り戻していく。それは遠くのどこかでなくて、目で見える範囲、声が聞こえる範囲にあるだろう。

もはや、大切なものを〝守る〟だけの感覚ではもう足りなくなった。立ちはだかる相手は大きくて、とてつもなく早い。それに、最近は特に容赦がない。これからは、長い年月をかけた積み重ねに、社会の変化への気づきによって得たものをまた積み重ねていく〝つくる〟感覚を持つことが必要だ。そのためには、思考しつづける努力がつきまとうから、とても大変だけれども、その分、どんどんと身近な存在に愛着が生まれていく。むなしくも、失ったあとでその大切さに気づくことも多くあるけれども、人と土地のつながりを重視した関係性さえあれば、幾度でも生き直せる。

そんな大きくて早いものにすべてを飲み込まれる前に、私たちはまず地のものを食べて、体をつくり、力をつけよう。胸いっぱいに深呼吸をしよう。なぜなら、地のものを食べることは、その気候風土そのものをいただき、土地とつながる瞬間だからだ。美味しいと思うなら、愛おしいと思うなら、気持ちがいいと思うなら、それが何よりも大切なもの。そして、気づきや思いは言葉にすることで伝播していく。見えなかったものが見えてくる感覚を取り戻し、解像度が高まった先に、自分たちの風景が広がっていくと信じている。テクノロジーもグローバル化も必要であり、対立させて考えるものでもない。足元から、これからに必要な経済のはじまりを実践してみよう。私もここに、一つの決意表明をする。

波のようにうごく価値と、サメの話

お金について考えていたとき、以前お話を聞いた『サメ』のことを思い出しました。サメは、フカヒレの原材料として捕獲されます。しかし、ヒレ以外の部分は活用法がなく、価値が低いのだそう。お金になりにくいサメに、お金をつけようと活動する『SAMEYA』の高瀬さんにお話をききながら、お金になること、ならないことについて、考えてみました。

ほとんどのサメは、宮城県・気仙沼で水揚げされます。しかし気仙沼は、他の魚も多く水揚げされる漁港。サメは鮮度が落ちるとアンモニア臭が出る特徴があるため、わざわざ選んで食べる人たちは気仙沼にはいなかったのではないか。しかし視野を広げれば、サメの食文化がある地域もあるんだ、と高瀬さんは教えてくれました。

「たとえば栃木の山奥では昔、サメはお正月に食べるものでした。サメはアンモニアが発生するため腐りにくく、山奥まで運ぶことができた。生のまま海の魚が食べられることは、山奥の地域にとってはとても貴重で、だからお正月にめでたいものとして食べる風習がありました」

海の町では見向きもされなかったものが、山奥に持っていくとおめでたいものに変わる。そのもの自体が変わらなくとも、場所が変われば、価値が変わることがある。高瀬さんがサメヤの活動拠点として東京を選んだのも、気仙沼ではあまり食べられないサメを、東京なら食べてくれる人がいる可能性があると考えたからだそう。「場所が変われば、当たり前も異なる。東京では、そもそもサメに対する食べ物としての印象がないので、一口目に美味しいと思ってもらえたら、その人たちにとってサメは、美味しい食べ物になると思ったんです」

価値が変わるのは、場所によるものだけでない。時間が変わることでも変化することが、あるのではないだろうか。高瀬さんはこんなことも教えてくれた。

「今マグロといえば、トロに一番高い値段がついていますが、江戸時代、お寿司が生まれた頃は、トロには全く価値がなかったんです。お寿司は生魚を食べる調理法として生まれたそうです。冷蔵や冷凍の技術がなかったので、魚を醤油漬けにして菌の増殖を抑え、殺菌力のある酢を混ぜたご飯と一緒に食べる。だけどトロは油分が多いので、漬けにはできないんですよね。生では食べられないし、お寿司にもできない。だから昔は赤身のほうが、価値が高かったんです」

今、価値があると思っていること、大切だと感じていることは、今この瞬間、この場所だから、そうなっているだけのことなのかもしれない。砂漠にいけば、金のブローチよりも1杯の水に価値があり、ディズニーランドで買うカチューシャは、家に帰ればタンスの奥底に。ものの価値は、時間や場所が変わるたび、あがったり下がったり、波のように動いていて全く決まったものではない。だからこそ、多くの部分が捨てられるサメにも、活用できる可能性があると高瀬さんは信じている。ものの価値を動かしているのは、私たちのちょっとした意識なのかもしれない。ものを買うとき、選ぶとき、の積み重ねがいつか、何かの価値を大きく変えることにもなるのかもしれません。

はなしをしてくれたひと

高瀬拓海（たかせ・たくみ）

"漁師の収入を上げること"をめざし活動。ヒレ以外の99%の部分が捨てられているサメを活用することで、漁師の収入も上がるのではないかと考え、サメ専門キッチンカー『SAMEYA』を通して、サメ肉の食材としての認知向上に力を入れている。

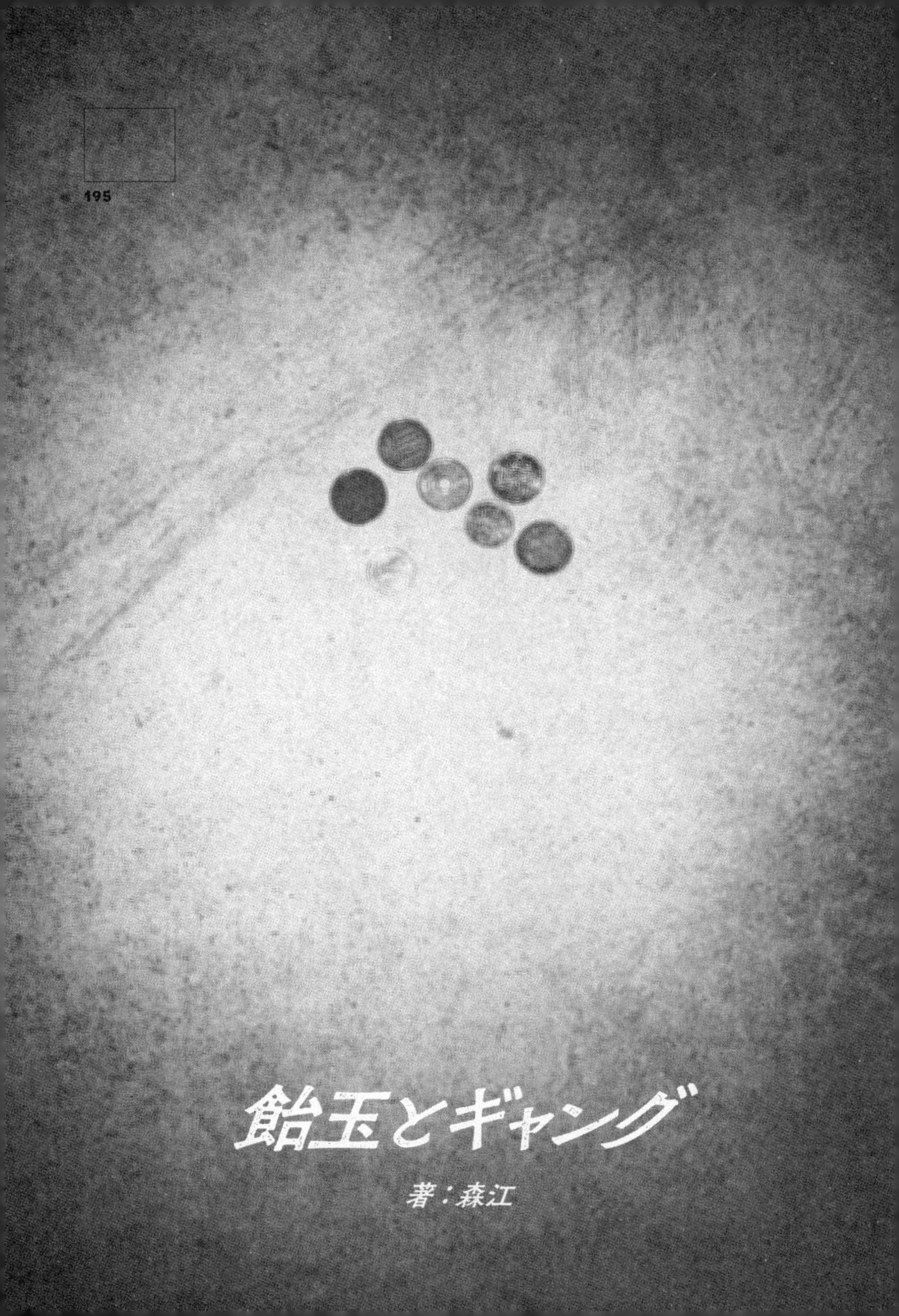

飴玉とギャング

著：森江

靄がかかった雨の日。突堤の脇に、名うてのギャングが二人。愛用の旧車はアイドリングしていて、後部座席には、札束と小銭、歪な形の金塊をたんまりとのせている。ギャングAは、車中でタバコを吹かしながら一息ついて。ギャングBは、その紫炎を纏って、キザな口調で「これでまた人助けができましたね」と言う。

二人のギャングは、白昼銀行を襲撃したかと思えば、閉店間際のカフェを狙う時もある。ある時は、子供からサクラドロップなんかを掠め取ったりもした。そう、所構わず、手段を選ばず、犯行に及んでいた。

それでも彼らには、彼らをギャングたらしめる、ポリシーがあった。

一、誰にも迷惑をかけないこと（襲撃を気付かれてはいけない）。

二、誰かの持ち物を奪ってはいけない。

三、誰にでもこれとわかる黒づくしの衣装を纏うこと。

彼らは物静かで、穏やかな、黒づくしのギャングだった。とても地味な類のギャングだった。その手際からして、彼らをギャングと呼ぶには、少し語弊があるかもしれない。銀行を襲撃するといっても、彼らが狙うのは、両替機に残された古銭や、銀行員が間違った釣銭といった、忘れさられたお金だった。金塊？金塊について言えば、それはちょっとしたラッキーだった。突堤の端に停泊していた底引き網魚船が、海底から引き揚げた塊の一角で、金色の石と言ったほうが近い代物だった。

「ポリシーってのは、大切なんだよな」と、一人のギャングが言う。「何でもかんでも奪っていいわけじゃない」と相槌。

「結局この手のお金や、金塊ってのは、誰かに渡さなきゃ意味がないんだよなぁ」

昔先輩ギャングから言われた説法を自らも繰り返すのだった。「人は誰かに飯を奢ってもらったり、プレゼント受け取ったりしたら、同じ分、誰かに渡さなきゃいけない。自分だけでため込もうとすると、自ずと溢れてしまうもんなんだ」と先輩ギャングはよく言っていた。

「そこの受け渡しに介在しているのが金ってやつで。だから、俺たちは溢れた金がないか、忘れられた金がないか、いつも探しては、見つけ次第ピストル構えて、襲撃・強奪するってわけだ」

外の靄が少しはれて、遠くの山に三日月が顔を出す。路面電車の明かりが海面にも映る。もう一人のギャングは、タバコ葉を用意して、神妙な手つきでそれを巻きながら、また一服をふかし始める。後部座席にたまった今日のアガリもなんだか少し嬉しそうに見えてくる。「今回は、何に使いやしょうかね」

ギャングは、これまでも仕事を終えると、彼らなり思案して、奪った金の使い方を工夫してきた。募金の類はもちろん、ＴＶチャリティーにも手を出してみたこともある。でも都度実感が得られず、二人はぼやいて辞めた。試しに、自分たちの為に使ってみたこともある。いい車を買ってみたり、時計を買ってみたり、時に酒にも手を出した。でもまあこれも大した実感を得られず、結局黒づくしの衣装と、このボロ車に収斂されてしまった。それで最近は、ふとしたきっかけで音楽にお金を費やしていた。路上のミュージシャンに投げ銭をしたり。ステージの合間、休憩中のボーカリストに一杯奢ってみたり。時には、楽器屋の前にたたずむ中学生に楽器を買い与えてみたりもした。投げ銭をしたミュージシャンは、その金で飯を食い、曲作りに意欲を燃やしたし、ボーカリストは、休憩後、なかなかいい調子で歌い上げて、観客を魅了した。中学生は、まだ未定だが、将来大物になるかもしれない。他のお金の使い方と、どう違ったのか、自分たちもよくわからないが、二人のギャングは、とてもいい気分になった。

それから、音楽について少し勉強を始めた。仕事の合間に例の楽器屋に行って、中古のギターを買い求めた（この時も、レジ裏に転がる忘れ去られた釣銭を奪った）。そのギターは、エピフォンのエレアコで、見た目もさることながらいい音がした。でも弾き方もわからないので、例のストリートミュージシャンを訪ねて、ストリートでのパーフォーマンスの間に、ギターの弾き方を習った。黒づくしの衣装の男二人が、路上でギターを習う様は、目立ったらしく、結果、彼のライブは連日、観客増員を達成した。初めは、簡単なコード進行から始まって、半年も経つと、簡単なアルペジオまで弾ける様になり、結果ギター３人という歪なストリートバンドが出来上がっていた。二人のギャングは、時折仕事を忘れてギター談義に花を咲かせた。

外の靄はすっかりはれて、カーステレオから、古い曲が流れてくる。ギャングは、流れてきたはっぴーえんどの曲に乗せて、「風を集めて、青空を集めたいんです～」ってか、と鼻歌を歌い始める。夜空だから青空なんてこれっぽっちもない。それでも誰かまうことなく、鼻歌は続く。もう一人のギャングは、今日のアガリを確認しようと、後部座席に移動した。札束、小銭、金塊などなど一つ一つを次の作業に向けて整理する必要があった。それぞれを10ずつ並べたあとは、粗品みたいに残ったサクラドロップを手にして、封を開けた。これも、どこかの子供が食べ残したサクラドロップだ。

「うまいですね。いつ食べてもこのピンク味」

中からサイダーとピンクのドロップを取り出すと、もう一人のギャングに「いります？」と聞いた。その間もカーステレオからは、古い名曲が流れる。

少しの沈黙の後。

「札束触った手で、飴玉転がすんじゃねえよ。縁起が悪い」

怒声にも近い大きな声で、一人のギャングが言った。遠くで路面電車の最終のアナウンスが聞こえて、靄がはれて、素っ裸になった月が恥ずかしそうにしている。

名うてのギャングには、色々ポリシーがつきまとう。もう一人のギャングは、聞かれないように小さなため息をすると、後部座席からギターを引っ張り出して、晴れた夜空に歌って見せた。

Stone Age
by Motoi Hirata

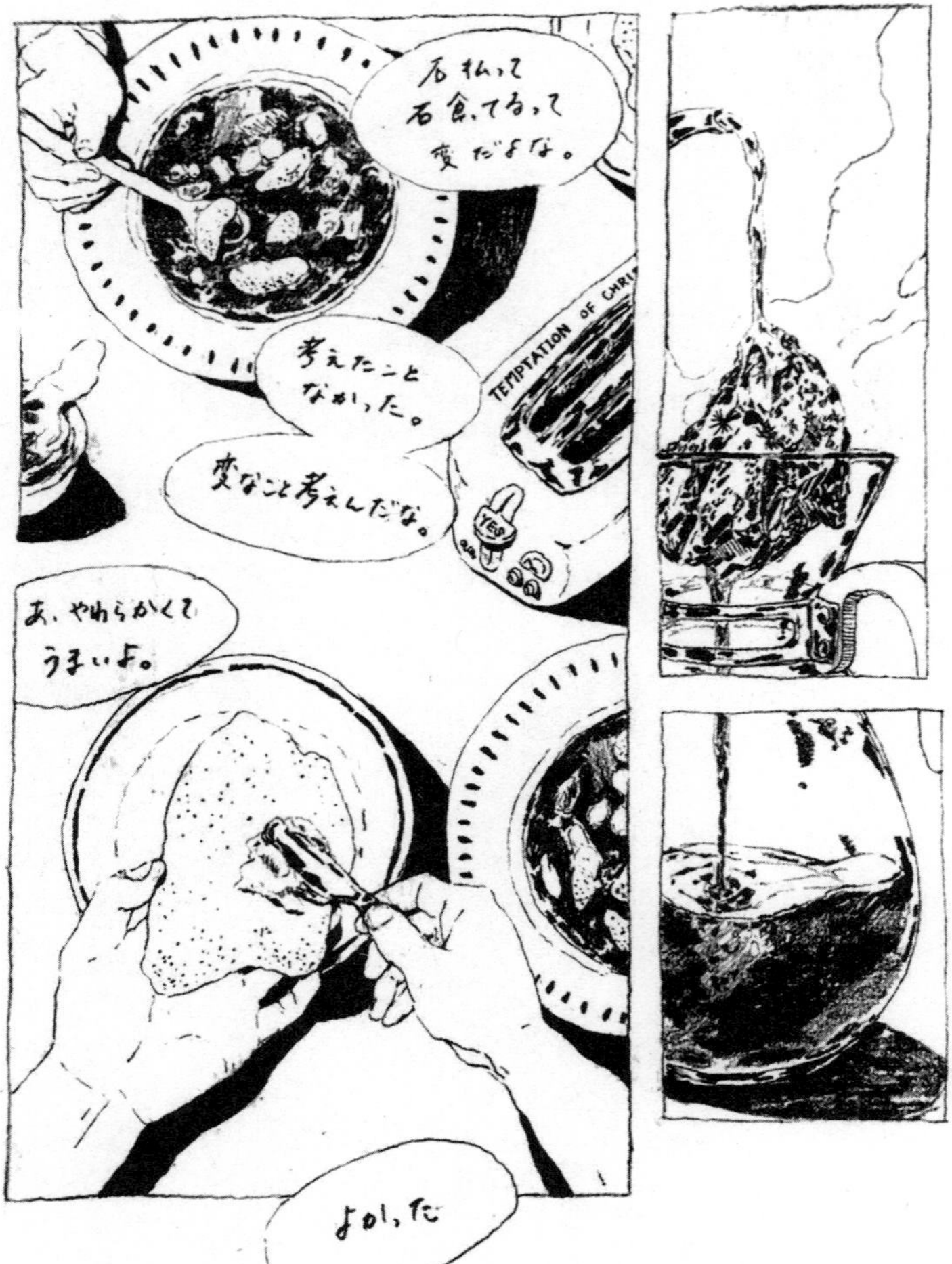
石払って石食ってるって変だよな。
TEMPTATION OF
考えたことなかった。
変なこと考えんだな。
YES
あ、やわらかくてうまいよ。
よかった

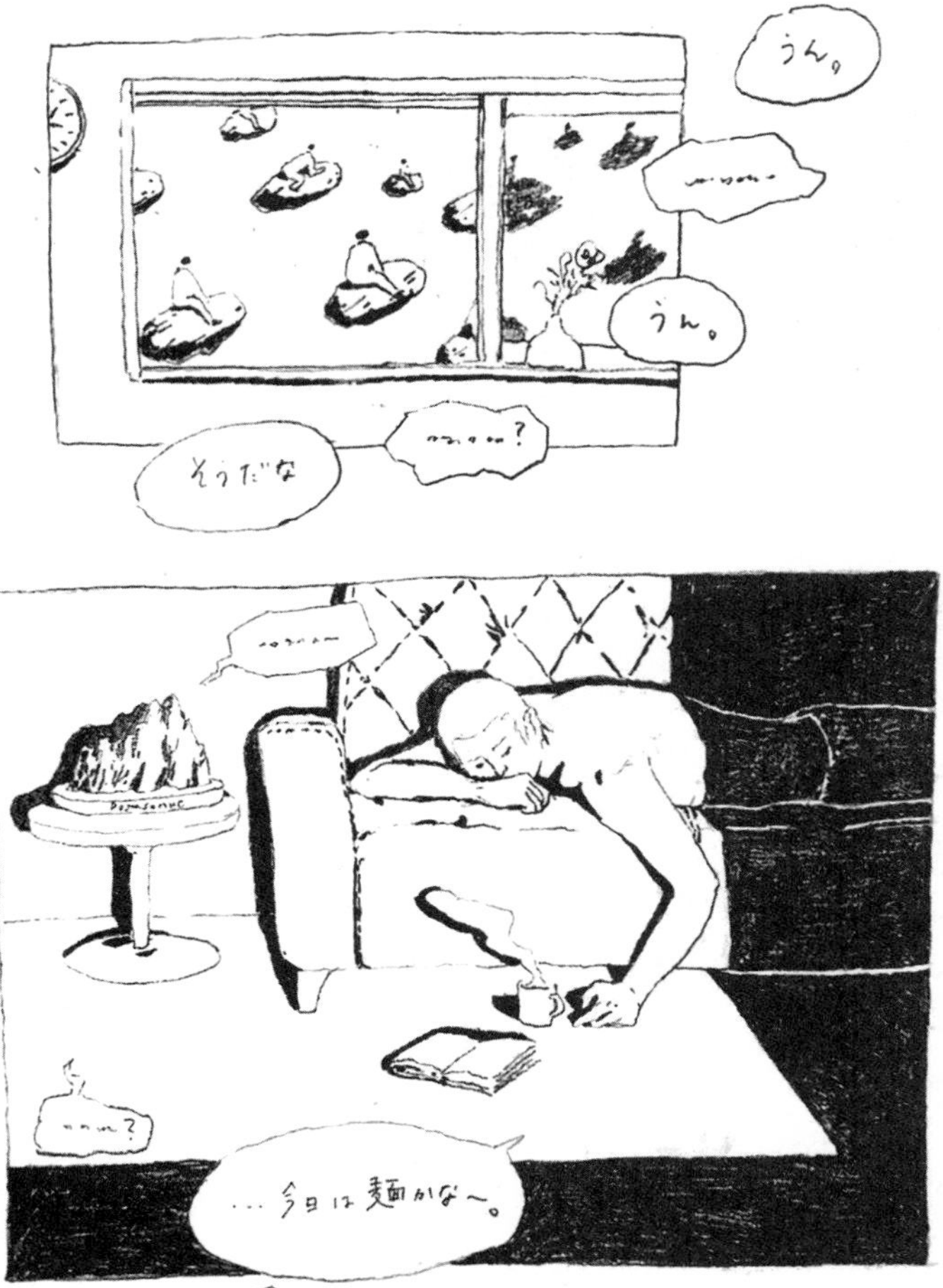
うん。
……
うん。
……？
そうだな
……
……？
…今日は麺かな～。
…!!

そんなにあっても
つかいきれないな。
無いのと同じだ。

Stone Age
by Motoi Hirata

お金とは、自身の時間、すなわち命が数値化されているものだと感じています。それであるのに、現代われわれの使う貨幣は、ぺらぺらの紙や小型の金属であり、その不換性は、生きていくうえで訪れる虚しさの一端を担っている気もします。お金とは現代にある神話です。石は古来、その変わらない（ように見える）姿と頑丈な性質から不老不死の象徴としてあったようです。不死の妙薬のための錬金術に水銀が使われ、人類につきまとう不死への憧憬が、石へ注がれてきました。神話の中では東南アジアを中心として各地にあるバナナ型神話という分類のものがあり、神が石（不死）かバナナ（食物）を示し、人類が食物を選んだため、人類は脆く短命な生き物になったという内容です。これは広義的に捉えるとエデンの園の知恵の実や、日本神話にもあたる部分がある、永遠と非永遠との二者択一です。今作は、石を選んだ方の（あるいは石に転換していった）人類、そしてそこにある生活、価値概念などを思考してみたもので、新しい石器時代を描きました。一見、不変にみえ、頑丈らしくおもわれている石は、もしかすると今もなお、成長を続けている、発展途上のものなのかもしれません。あるときどきろどろに溶けたり、浮いたり、なにかしらを受信・送信したり、中からなにかが生まれたり、超自然的な力を発現することがあるやもしれない。茹でるとおいしく食べられるなど…。ポルトガルにつたわる伝承の『石のスープ』も、キリストが石をパンに変えることができるのも、ありえることなのかもしれません。そのなかで石の価値を思考した際、石のなにが価値基準になるのかを、できてからの時間というように設定してみました。年月を食べて、年月を支払い、年月をつかう。石を食べてたくさんの年月を体にため込み、寿命を支払う彼らは、どんな思考を持つのか。どんな夢を見て、なにに憧れを持つのか、虚しさはあるのか、現代のわれわれと違いはあるのか、などなど。そのようなことをあれこれと思考しながら、四枚の生活シーンを制作しました。

クマには
お金がない

絵・樋口達也

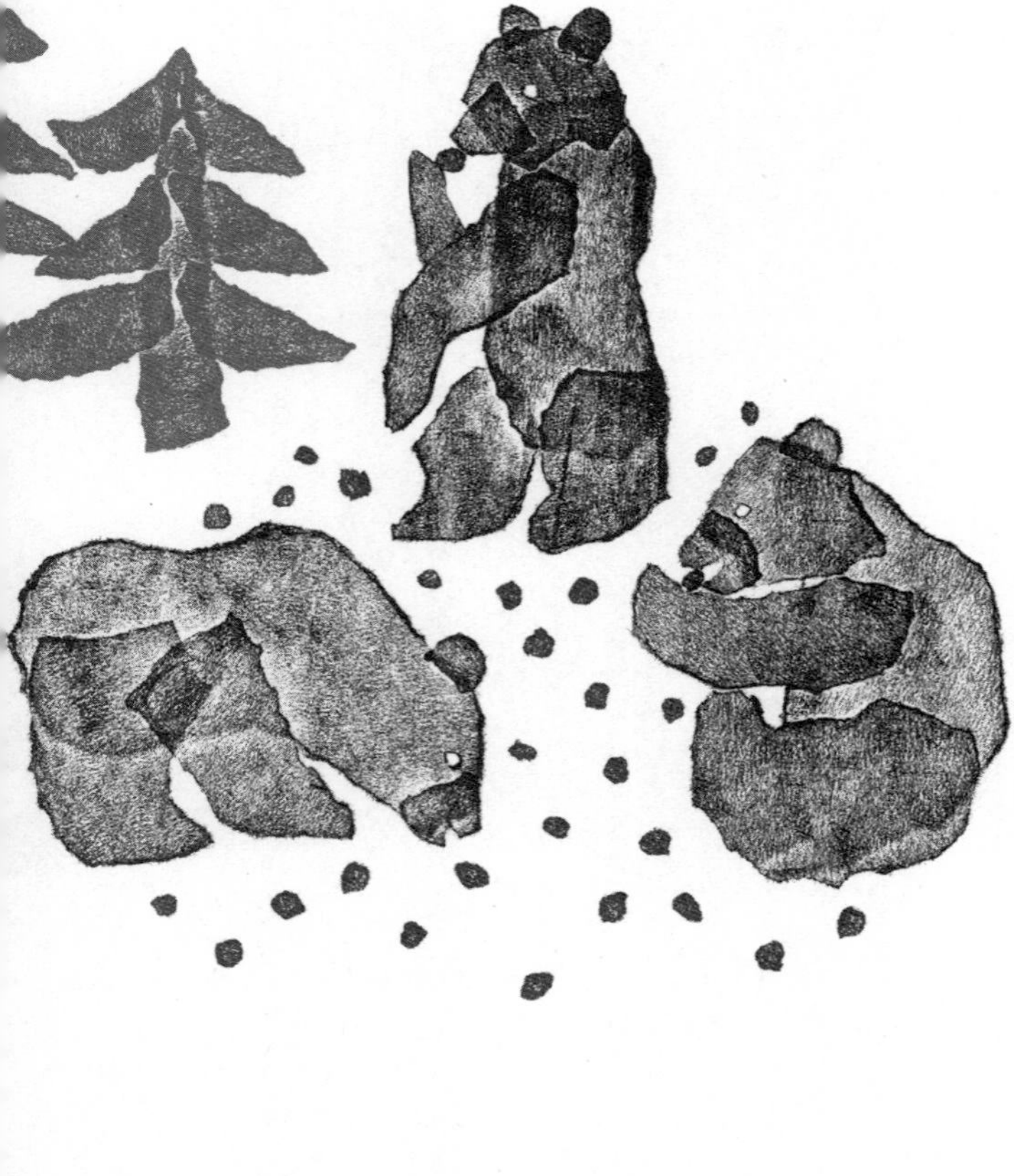

クマにはお金がない
毎日たべるぶんだけ
とってくる
たくさんとれたら
みんなで分ける

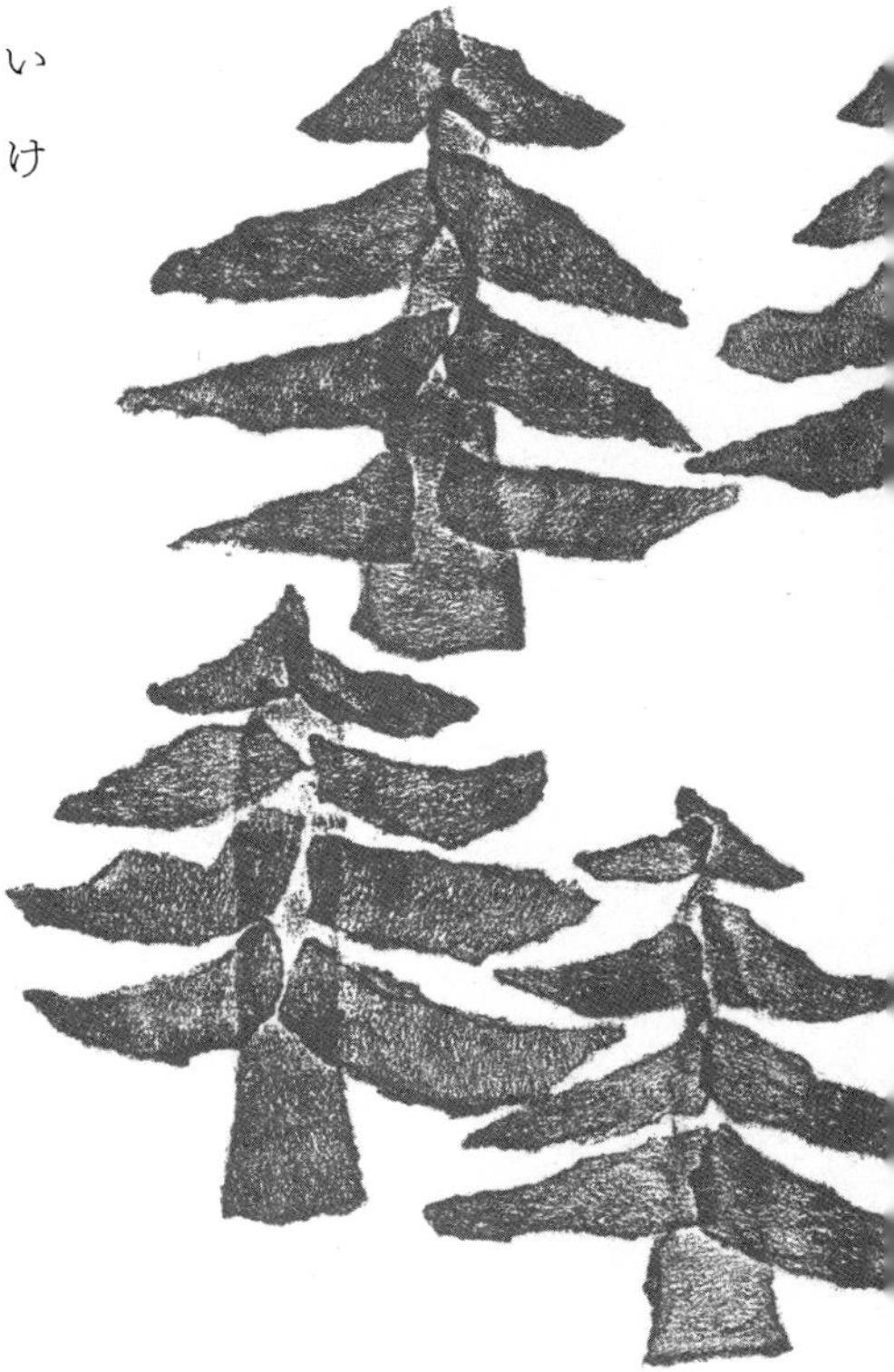

人間は、他の人間からたくさん買い込む。余ったら自分で貯めておく。

クマにはお金がない
こどもクマとは、
いつもいっしょ

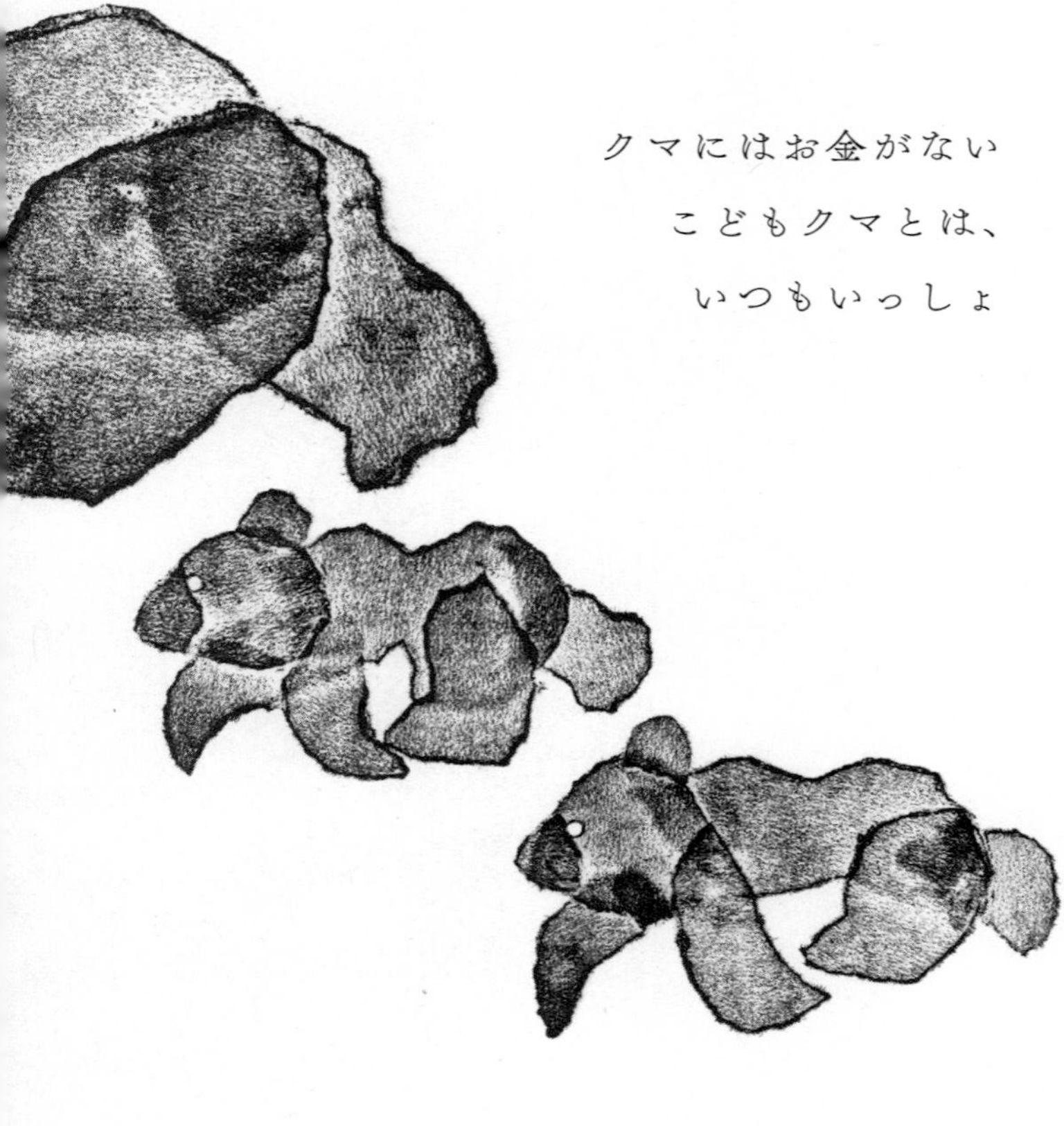

人間には学校がある。1日の多くの時間を、親子別々に過ごしている。

クマにはお金がない

はたらかない日は、
寝てすごす

人間は、大体いつも働いている。それは一体どうしてだろう？

それでも、クマの生活はつづく

からだは資本日記

年から年中、体調が良くない。低気圧により、引き起こされる偏頭痛。毎月の生理痛とだるさ。息ができなくなるほどの花粉症。心とからだがバラバラになった瞬間に訪れるぎっくり腰。ちょっとお手上げだよ〜と言いたくなるほどの毎日だけれども、ちょっと前まで、お手上げだよ〜と言いもせず、これらの体調不良に蓋をして、つけもの石ぐらいの石をのっけていた。編集という仕事をしているからか、自分のことには全く気にかけず、気になるのは外だ、外だ。すると途端に、体の不調はどっどどっどっと音を立ててつけもの石を押し上げて溢れ出してくるようで。ようやく自分に気が向き出す。今まで、自分の体を無視していたことに気がついて、からだは資本という言葉が腑に落ちてきた。私の会社は京都の北のほうの花辺というところにある。花辺の人たちは、朗らかで、健やか。この人たちのおかげで、毎日つっぱっりつづけた私の体が緩んでいく。そんな花辺でのいつかの日記、ご自愛だらけのからだは資本日記。

○月○日

ぎっくり腰をしたので寝たきり状態で、花辺のときさんにLINEする。痛すぎて、仕事もできない。「夕方なら、鍼灸院に車で連れて行ったげよか」ときさんの返事。涙がでるほど嬉しい。マンションの下に車が止まるも、乗るのも一苦労。腰の痛みのせいで動きがスローカメラで撮影したときのように、遅くなる。そんな様子に笑いが止まらない、ときさん。私もつられて笑うが、腰が痛くて痛くて笑えない。鍼治療は40分ぐらい。痛みはすっ飛ぶ。月一で通うことにする。

○月○日

キーボードを打っていると、手が冷える。手が冷えているだけではなく、体中が冷えている。キンキンキンキンになっていると、お隣のmakaのゆきえさんが、足湯をしたらいいと桶をだしてくれる。足湯用のハーブもだしてくれる。8分ぐらいがいいと教えてくれる。途中で、やかんで沸かした熱湯を注ぎなさいと教えてくれる。

○月○日

楢崎家では毎日人参ジュースを飲むそう。なんか、がん細胞にいいだとか、冷えにきくだとか。（楢崎家の）父が人参ジュースの担当らしい。土のついた人参を丁寧に洗い、ミキサーに投入。いいなぁと思って見ていたら、ジュースができたあとが特に大変のよう。こびりついた人参をミキサーから除去せねばならぬ。「これはかのこさんには難しいだろうな」と言われたので、諦めて、母に相談。ちょうどいい人参ジュースがあったので、買ってもらう。

○月○日

今日は寒い寒い。母が私の年ぐらいの頃に着ていたズボンとニットを着ていると「かわいい」と喫茶部のさとこさんが、褒めてくれた。花粉症がひどくて、と涙目で話すとお見舞いにとロールケーキをわけてくれる。「暖炉であったまって行ってね」花辺は空気がおいしい。山か。

○月○日

シャケの産卵の夢を見る。

○月○日

makaで、月桃の葉っぱで蒸留水を作ると、噂を聞いた。息ができないくらい、打ち合わせやらなんやらで、パソコンの前にピタッとくっついて離れられなかったので、参加できなかった。一息ついて（一息ってよくできた言葉）参加できなかったなぁと喫茶部で暖をとっていたら、ゆきえさんが「最後の蒸留水するねん」と氷をとりにくる。「みにおいで」と言ってもらい、運良く参加。「運いいな〜」とゆきえさん。私も思っていました。蒸留水は、葉っぱを蒸して、そのときにでる蒸気を急速に冷やしたことで、うまれる水のよう。蒸留水は、月桃の葉っぱの要素と混じり合って、ちょっと土のような匂いがする。沖縄の月桃だから、沖縄の土の匂いかなぁとゆきえさんと話す。

○月○日

魚に塩をふって、ペーパーでふきとってから焼いて食べたと連絡する。「いいね、時間があるときは、よりおいしく食べるのがいいよ」とかえってくる。そうだなぁと納得。

○月○日

「上場などを目指すのは、男だからですか」みたいな質問を庭でばったり会った青木さんにする。青木さんはそんなことないよと。自分のペースで、できる範囲でやればいいんだよ、というようなことを言われて「そうだった」と思い出す。

○月○日

母に体調が良くないと連絡。「母も」と返事。母も低気圧や季節に変わり目に弱い。

○月○日

花辺の向かいにある公園で、かめさんと走る。公園の周りを6周ぐらい。走り終わって、ブランコでお笑いを見ていたら、父が「カキフライできたよ」と呼びに来る。

○月○日

綾部吉水自然農園で、ビワの葉こんにゃく湿布をする。2回目のぎっくり腰（全3回。1回目はコルセットをし続けて我慢したけど、それが良くなかったらしい）のときに、ゆきえさんが教えてくれたやつ。こんにゃくを沸騰したお湯にいれて10分ぐらい煮る。仰向けに寝て、お腹と子宮あたりにビワの葉を置いて、その上にタオルで包んだこんにゃくを置いて30分。次にうつ伏せになって、腎臓あたりに同じように置いて、30分。（ビワの葉はなくても良し）体の中からあったかい。寝ているような寝てないような気持ちになった。

○月○日

頭が痛い痛いと言っていたら、ゆきえさんからラベンダーの精油をこめかみに塗りなさいと教えてもらう。塗りすぎてしまったので、自分がラベンダーになったつもりで歩く。

○月○日

さとこさんにポテサラとハーブのバターがのったパンをもらう。おいしい。

○月○日

「またぎっくり腰したんだってね」と喫茶部で声をかけられた。「はい、そうなんです」と話す、体がもう硬い。朝、夜、ストレッチ。仕事の合間もタイマーをかけてストレッチ。でないと座っているのも精一杯。ぎっくり腰には理由がある。いち、体の疲労。に、頭（心）と体がちぐはぐ。頭ではいっぱい考えていても、体がついて行ってない状態。絶対、に、だ。ゆうま先生が教えてくれた。確かに最近思い当たる節しかない。

○月○日

くまのクッキーと花の形のクッキーを部屋にもってきてくれる。私が仕事をしていると、ときさんは「お勉強がんばってね」と、続けて、下宿生みたいだと、くっくっくっと笑う。

○月○日

ご自愛できる人は、人にも優しい。人に無理強いをしない。「お湯につかりなさいな」と言われて、毎日湯船につかっている。身体は全部つながっているんだぁ〜なぁ〜と想い、あぁあと息を吐く。湯船では本を読むことが多い。感動して泣いたり、知らなかったことに気がついたり、お麩のようにじわりじわり柔らかくなる。

○月○日

ロールキャベツと切り干し大根がポストに。

「おいしいおいしい」

吾輩は金である

著：朝広

吾輩は金（カネ）である。名前はある。千円である。世知辛い世の中において、時に一縷の喜びを齎す金であり。逆に、その価値を見誤れば、翻弄され、身を滅ぼすこともある金である。

吾輩は、この国に生まれ、誰ともなしに、他人の財布を渡り歩き、寝床としてきた一介の金である。その形状は、縦76ミリ、横150ミリ。四角く切り取られ、どの札よりも小さい。表には、かの著名な夏目先生の御尊顔が印刷された一片の紙、千円である。吾輩は、千円に生まれたことを随分と喜んでいる。それは、万民に忌み嫌われることなく、愛でてもらえるからである。小銭のように、チャンリン、チャリンと乱暴に扱われることもなければ、膨らんだ財布の中で邪魔もの扱いをされることもない。一方、高額紙幣のように、貸し借りにおける金銭トラブルに巻き込まれることもなく、お金（往々にして札束）＝悪の権化といったレッテルを貼られることもない。

吾輩千円は、いい塩梅なのである。誰かに嫌われることもなく、立場として中庸。大きすぎず、小さすぎず、程よく愛されている。それが、吾輩千円である。

吾輩は、去年より或る一家にお世話になっている。始めは、父親の給与として、この家庭に招かれた。母親は、給与袋から何枚かの諭吉先生と合わせて吾輩を手に取ると、感謝の言葉もなく、財布へとそっとしまった。この時ばかりは、吾輩も主人である父親を思い、少しげんなりとした。近日中にでも、この粗野な母親により、未練なくニンジンやカレーのルーと交換されるのが、我が運命であろうと思った。それがどうであろうか。幾日経っても、中々財布から出る機会は、訪れなかった。財布の中に日々たまる領収書や、病院の診察券らと並んで、しばらくの間、財布の中に腰を据えることとなった。

時に、隣の診察券くんなどは、「また通院ですよ。出番が多くてすみません！」と持ち主の健康など、これっぽっちも気にせずに意気揚々と、自身の多忙を自慢してきた。彼には、財布を出ても必ず戻れるという確信があったので、いつもお気楽であった。また向こう隣の領収書くんなんかは、「もうすぐお暇いたします。あっしたちは、家計簿（カケイボ）で、最後の時を迎えるんです…」と神妙な顔で、涙を堪えて訴えかけてきた。薄く消えゆく領収書の印字のように、彼らは、そこはかとなく寂しい存在であった。彼らとは色々な話をした。ある時は、高額紙幣の諭吉先生、一葉さんを交えて、金にまつわる犯罪談義をした。諭吉さんは、「昨今、お金というとどうも印象が悪い。本来我々は、人々の間で、等価交換をもたらすだけの紙であって、我々自体に価値もなければ、罪もない。それなのに、汚職だとか、使い込みだとかいったニュースが流れると、いつも私の顔がテレビに映し出されて、まるで犯人のようだ。誠に遺憾。冤罪である」と講釈ぶって語り、一葉さんなんかは、「先生は、いつも大仰なんですよ。私なんかは、文京区（彼女は、生前文京区で半生を過ごした）に、一葉基金が設立されて、街の保存に一役買っているのですよ。ほほほほ」と、諭吉先生の論調をいなして、ちょっとした自慢話を繰り広げた（彼女が24歳で亡くなったことを思えば、多少の自慢も嫌味とは思うまい）。また最近の話題で、財布の中の皆が参加したのは、近年我々の業界に現れた一大新興勢力「電子マネー」についてであった。この話題は、診察券くん、領収書くん、高額紙幣の誰もが、何かを薄々察しているようで、始めこそ意気揚々と、それぞれの意見を語り合うのだが、話も中盤に差し掛かると「電子…便利だよね」と言って、そっと話題を変えるのであった。そんな財布の中でのしがない日々が、幾日も続いた。吾輩の出番はなく、気がつけば、早数週間が過ぎていた。

財布の縁。ここから見る（主に母親目線ではあるが）家庭というのは、実に興味深いものであった。父母、子二人に猫がいるこの家族。父親は、口数の少ない働き者で、よく出張で家を留守にした。出張から戻ると、いつも「任務完了だ」と謎めいた一言。黒のスーツを脱ぎ捨て、一人でベランダに向かい、タバコを反芻していた。母親は、前述のとおり、少し粗野であったが倹約家であり、教育熱心な人であった。日々増えていく養育費と睨めっこして「これは将来への投資なの」と、自分に言い聞かせると、内心でウダツの上がらない主人を呪った。子供たちはというと、一人は大学生の娘。一人は中学生の男の子だった。この二人について語る事は多々あるが、多感な思春期ゆえ、人に触れられたくないこともあると推測され、吾輩から話すことは遠慮しようと思う。一言だけ添えるなら、この姉弟も母同様に、「うちってなんでこんな地味なんだろうねぇ」と中流家庭の慎ましい生活を、日々恨めしくぼやいていた。そして猫である。この猫は、名前を弦一郎といった。重々しい名に相応しく、図体もでかく、我が物顔で居間のテーブルに鎮座していた。しかし老いたせいか、名にあるような、ピンと張りつめた弦のごとき緊張感はなく。だらしない横腹を見せて、日がな一日気ままに過ごしていた。この猫は、「にゃー、にゃにーにゃー（また安売りのサンマか、そりゃ私太りますよ…）」と、人には聞こえぬ声で、廉価な餌を、よく愚痴っていた。口数の少ない父親を除いて、全員が中流家庭の逼迫した家計について嘆いていた。

それでも、なぜかこの一家は、幸せそうであった。実入りがある時も、出費が嵩む時も「金は天下の回りもの」と合言葉のように口ずさみ、笑って過ごす力があった。日々の生活においても、満たされているように見えた。大切なのは金自体ではない、と誰もが暗にわかっていたのである。諭吉さんの言う「我々は等価交換に用いられる紙である」という格言を、彼らは、よく理解していたのだと思う。

財布の中での生活、4人と猫の会話に飽きもせず。このままでもいいか、と思い始めていた折。吾輩の出番は、ある日唐突に訪れた。その日はいつもと違い、母親が親戚の結婚式に出席するとのことで、朝から身支度を整えていた。結婚式と聞くと、吾輩も胸が踊った。我々、金の世界でも一番名誉のある使われ方。それが、ご祝儀なのである。この期を逃さんと、背筋をピンと伸ばして財布で身構える仲間もいる（ピン札の語源）。母親は、化粧を一通り終えると、財布を持ち、家族に「今日は遅くなるからね。ご飯はお父さんと一緒に済ませてね」と一言添えると、路面電車の駅に向かった。吾輩ももちろん同伴である。そして我々はいくつかの駅を過ぎて、とある駅で降車した。駅には人影も少なく、駅のアナウンスだけが悲しく響いていた。母親は、駅横の角にある銀行に立ち寄ると、窓口に進み、ご祝儀袋を取り出して、

「新札をお願いします。3万円で」

と、可愛らしい新人行員に告げた。そして、財布から徐に、諭吉先生2枚と、一葉さん1枚を手に取ると、訝しげな顔で数を数え始めた。そして、最後に小銭と合わせて、私を手にとったのである。ご祝儀と言えば、諭吉先生の出番である事は周知の事実。普通なら財布の中にある古い一万円札を新札に取り換えるだけなのだが。切り詰めた家計のおかげで、今日に限って、財布には吾輩を加えて、ちょうど3万円しか入ってなかったのである。母親は、シワのよった吾輩を手に取ると、何の未練もなく、窓口の初々しい

行員に手渡した。吾輩は彼女の手の中で、何度か数えられて、最後にピシッと指先で弾かれ、奥にいるベテラン婦人行員へとトレイに乗せられて運ばれた。そして、新人行員は戻ってきた新札を手にすると。唐突に母親に向かってこう言った。

「おめでとうございます。こちら新札になります。どなたかの結婚式ですか？」

何がめでたいのだろうか？トレイの中から、新札に浮かぶ諭吉先生の顔を眺めると、これまたニンマリとして忌々しい。よっぽど口に出して罵声を浴びせてやろうかと思ったが、言うまいと決めた。

吾輩は、千円である。誰にも忌み嫌われず、愛される。都合のいいやつなのだから。

お金とギフト

古川実季

《gift》1作品目、結婚1年目の夫婦を描いた。

お二人の家に泊まり、結婚式のアルバムや海外に行ったときのお土産を見せていただく。

アルバムに写っていた結婚指輪は、手づくりの竹の指輪。

理由を聞くと、どちらかが失くしても責めたりしないように、とのこと。

お互いが気持ちよく生活しようとする二人のあたたかさを感じた。

この絵には、そんなあたたかさや家での和やかな雰囲気を、閉じ込められたように思う。

写真と絵具を組み合わせ描いた絵を贈る《gift》という作品を制作しています。相手に思い出の写真を見せていただき、写真にまつわるエピソードを聴く。相手の魅力を発見しながら絵にしたため、完成した絵を相手に贈る作品です。

２０２０年３月、『春ときどき贈る展』という展示をしました。《gift》40作品の展示と、その場で作品を制作し、来場者に贈る企画。企画内のルールとして、作品へのお返しは、お金でもお金でなくてもよいことにしました。たとえば「おすすめの喫茶店を教えるよ」「お返しにギターを弾くよ」などを、お返しとしてOKとしたのです。すると、マッサージをしてくれる方がいたり、ケーキを手作りしてくれる人がいたり、さまざまな表現が生まれました。なかには、自身の得意とする笛の演奏をしてくださる方も。お金でないものを贈りあうことによって、互いの視点や価値観に触れることができる。贈りあいには、人と人とをゆたかにつなげる可能性があると感じました。

制作をはじめた頃は、お金を頂かずに絵を贈っていました。すると、贈った絵を喜んでくれる人がいる一方で、「こんなに貰ってしまって申し訳ない」とつぶやく人もいました。一方的に何かを贈る行為は、贈られた人に心理的負担を感じさせることもある。お金を払うことは、その負担を解消することでもあるかもしれない。そんなことを思う出来事でした。

贈ることは、ただの交換とは違い、想いが込められた行為です。想いが込められているからこそ、贈った人も贈られた人も心が動き、嬉しくなったり悲しくなったりする。ときに面倒だとさえ感じさせる。感情の揺れは生活を彩るけれど、心も体も疲れます。お金は、そんな贈る行為によって生まれる〝面倒くささ〟を少なくして、生きやすくする手立てであるのかもしれない。そんなことも、ときどき思います。

曖昧な食稿

水告之

マジックリンとシェフ

「あ、いらっしゃい」きわめてあっさりとした挨拶で店主は迎えてくれた。目が合った途端、私は良い店だと確信した。正直扉を開けるのに少し躊躇した。暖簾は出ているし中には数名客らしき姿も見えた。ところが営業中であるならば普通は当然点いているべき電灯が消えている。ちょっと考えて通り過ぎた。通り過ぎたのだが、少し歩いて立ち止まり、その瞬間に私は戻って扉を開けることを決めていた。

壁に貼られた品書きは基本的な日本料理に加え、見つけた途端、思わずそこで立ち止まってしまうような捻りのある品もあり、そしてその全てがとても安価であった。私は酒と刺身の三点盛りをお願いした。見回すと、どうやら店主一人だけの店で、なんとなくガランとした雰囲気が不思議だ。ほどなくやってきた三点盛りを見て驚いた。三点ではなく少しずつ五点の刺身、大きな赤エビは勿論冷凍の海外産だが鮮度は良い、カツオ、平目、イカ、マグロの中落ちを青ネギを芯に海苔巻きにしたもの、オマケで納豆と白ネギの刻みを混ぜて同じく海苔巻きにしたもの、生野菜のケンやツマ、茹で野菜をぐいっと絞って小口に切ったもの、山あり谷ありで見た目は八寸の盛り合わせである。驚きながら「大当たりだ」とつぶやき皿をつついていたら「赤エビの頭焼きましたのでどうぞ」と言って丁寧に焼いた赤エビの頭がゴロリと出てきた。これで六百円、言葉は無い。店主の動きを眺めていれば、彼がしっかりとした作業を身につけているのがわかるし、何よりも料理することが好きなのが伝わってくる。カウンターに積み上がった小さなタッパーウェアの数々は、一人仕事ながら、多彩な皿を食べてもらいたいがための作

戦で、全てが極めて適切で妥当な処理、必然な景色で小さな壁となっている。ここに来て数分なのに、すでに店主のことが好きになっている。何年も前から仲良しなのでは無いかと思うほど意図が汲み取れる。

30数年前、私は大阪にいた。学校の進路部から「新しく開店した店が人を欲しがってるが行ってみないか」と言われ、訪ねて行ったら店主はとても機嫌の良い人で私はしばらくそこで手伝う事になった。店主は変わった苗字で、店名は苗字と同じMといった。私はその頃から生意気で、料理でもなんでも頭で考えていた分、ときにつまらない事を店主より色々知っていたものだから、客と店主が話している最中に割って入ったりした。店主より私の方がスカッと割烹着を着ていたものだから、それを客からからかわれていたりもしていた。だが、いつでも店主は笑い飛ばしていた。ある日後輩が若狭から送ってきた鯛をおろしながら「若狭言うても大したことないなぁ」と店主がつぶやいた。「ええことない」そう言い捨てるとその鯛に触るのをやめてしまった。見かけは大変鮮度の良い鯛であった。私は店主が仕入れている魚の価格を聞いてみた。私は学生時代、レストラン卸の魚屋で仕事をしていて、築地にもよく行っていたから、当時の都心の魚相場はだいたい頭に入っていた。店主から聞いた価格は全てが倍以上高いものだった。「おやっさん、そりゃいくらなんでも高すぎますよ」私がそういうと「品物が違うんや」と言って笑った。そんなことあるかい、と思い、なんとなく心の底で店主をなめていた。店主は材料の鮮度に対しては徹底していて、タイミングを逃した食材は全て賄いにしてしまった。ある日賄いに鯛が回ってきた。刺身にして食べて驚いた。私の知っていた鯛と全く別の食材だった。なめていた気持ちは尊う気持ちに変わった。この人はすごい。車海老は天丼になったし平目はフライになった。赤ナマコは「そんなんオカズにならへんからほかしてえーわ」と言われたが、私は大好物だったのでポン酢を貰って食べた。

パン粉をつけるのは私の役目だったのだが、ある日横でその作業を見ていた店主が「偉そなこと言うわりにミズは大したことないなぁ」と言った。「パン粉付けてるの見たら全部分かるわ」どんな若者よりも早く的確に綺麗な作業ができる自信の鼻を折られた。しかしどうしても納得がいかなかった。「本当はちゃんと出来てるのに意地悪で言っているのではなかろうか」と疑った。反発してみたが評価は覆らなかった。

その当時、Mの店主には仲の良かった友達が2人いて1人は今では店主と並んで、店、人、共に有名になったが、残る1人は店をたたみ今では行方も分からないらしい。その人は当時、Tという自分の店が暇だと必ず電話してきた。「おう…わしや…忙しいか?…嘘つけ…暇で掃除しとるやろっ…マジックリンの匂いが受話器越しにするわっ!」毎日のように電話がかかってきて、その度に私はからかわれた。当時のMは予約客はほとんどなく、お客さんは来たい時にふらりと来るという感じであった。ある時突如忙しくなり、自店の酒が切れてしまった。酒屋も配達が遅くなりそうなのでTから借りた。私もてんてこ舞いであったのでTの若い衆が持って来てくれた。程なく酒屋から納品があったので、私が帰り際、酒を返しに行くことになった。ガラリと扉を開け「お疲れ様です」と言って入っていくと、カウンターに両肘をついたTの店主はジロリと私を見たまま何も言わない。私が当惑しているといきなり「ヤクザはお断りや」と言うではないか。一瞬意味がわからなかったが直ぐ気付いた。私はその当時、普段は度付きのサングラスを掛けていたのである。慌てて外し、謝意とともにお酒を返しに来た旨伝えると、今度は顎をしゃくって「座れ」という。営業中の兄弟筋の店舗にのうのうと小僧が座るわけにもいかないのでタジタジしていたら「座れっ」とドスを利かされたので致し方なく座ることにした。「ビール飲むか」と言われ、断ると「わしの酒が飲めんのか」ときた。ビールを手酌で飲んでいると「あて食べるか」と言われた。もう断っても結果は知れているので喜んで頂きますと言うと、Tの名物だった胡麻豆腐が出てきた。そして「今日は酒借りたくらいやからMは忙しかったんやろ、お疲れさん」と言ってくれたのである。嬉しくてたまらなかった。いつもマジックリンの話しかしていないので色々な話をしたくてたまらなくなり話しかけた。ちょうどビールが空いた。「帰れ」いきなり言い出す。「飲んだのやったら帰れ、明日も学校やろ」追い出されて帰路に着いたが、大阪に来て1番嬉しい夜だった。翌日、店に行き店主にこの話をすると「あ〜、なんや知らんけど、お前んとこの若い衆はカウンター座ってビール飲んでアテ食うて、金も払わんと帰った言われたわ」…何てやつだ。辻調には卒業に際し個々にテーマを決めて料理を作り披露する卒業料理展というのがある。寮住まいだった私は閉店後のMを同級生の美女と一緒に借り徹夜で作った。

その晩、仕事が終わったTの店主がやってきてカサゴを背開きにして詰め物をしようとしていた私の作業をカウンター越しに上から覗き、しばらく眺めてからポツリと言った。「ミズちゃんはシェフになるな、保証するわ、手つきがええ」普段つまらんことばかり言ってるけど、今日初めて料理人として私を見て話しかけてくれた。私がフランス料理志望なのも何故か知っていた。泣けた。

その夏私は母親を亡くしていた。その時世話になった大阪の人情が大好きで、東京に戻った後も時間があると用もないのに大阪に行き世話になった人々を訪ねた。今では1年先まで予約が取れなくなったおやっさんの店も、その当時は1人2人なら大概入れたので必ず立ち寄ったが、なぜかTにはあの晩以外立ち入ったことがなく、そしていつの間にか消えてしまった。

「すみません、イシモチのフライをください」

大阪時代、散々飲んだ白波に飲み物を変えた私は「パン粉のつけ方見たら分かるわ」という一

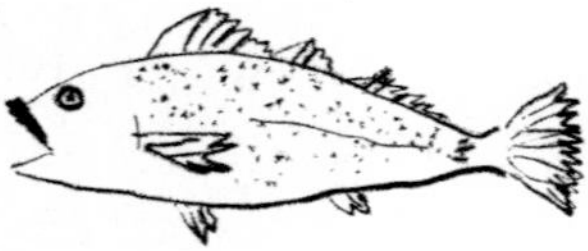

言を突然思い出し、そんな注文をしてみた。よどみなく巧みにパン粉をつけ、あっという間に仕上がったイシモチのフライは、見た目も温度も香りも特上に仕上がって私の前に置かれた。「あの時の私のパン粉のつけ方の何処がいけなかったのだろう」いくら考えても未だにわからない。この人にもきっと、そんな楽しい思い出があるからこんなに楽しく料理を続けられてるのだろうな。サクりとフライを噛んだ。

イシモチのフライ

イシモチは割合と勘違いされている魚である。値段もすこぶる安い。「煮魚にする」という固定概念に取り憑かれている。がしかし…以下の手法にて刺身にすると目を見張る発見が有ることを保証します。

　さて、買ってきたイシモチは、大雑把な大名おろしなんぞにせず、丁寧に3枚におろし、サッと塩をして小一時間冷蔵庫で寝かせる。そうしたものを取り出し、皮目を上にして俎板に乗せ、その上にキッチンペーパーを貼り付ける。持ちやすい取手の付いた片手鍋を使いコンロでたっぷりの湯を沸かし、その湯をすくって魚に掛け回すためのお玉を手近に用意しておく。

　かたや中ぐらいのボールに氷水をたっぷり用意しておく。そして、大きめの丼鉢などにタオルを巻き、流しにそっと置く。それを台にしてイシモチを乗せた俎板をすべりだいのように設置したら準備完了である。

　先ずは、折角に沸騰しておる湯が冷めてしまわないよう、お玉をしばし沸る湯に浸ける。ミトンなどを適宜参加させ、火傷に十分気をつけながら熱々のお湯をお玉でたっぷり一杯イシモチの皮目に注ぐ。皮目が反り返って樋のようになったら、もう一、二杯お湯を注ぎ、焦らず熱い鍋をガス台に戻し、一呼吸置いて安全を確認したら、すかさず俎板からキッチンペーパーもろともイシモチを氷水の中に滑り落とすのであ

水 告之　Mizu Tugeyuki／大阪辻調理師専門学校を卒業後、ホテルや食品会社開発室等を経て、会員制レストランの総料理長に。現在は完全予約制の料理店や宅配弁当店等を経営。『料理は編集作業である』を軸に商品開発相談なども請け負う。飛行履歴を貯めるだけに日本全国をANAで飛び交う変歴を持つ。「マジックリンとシェフ」は機内で綴る『幽体自動書記』の2016年3月の書き下ろし。

る。これ…魚における湯霜の段取りの王道である。

さて、数分置いてしっかり冷えたイシモチは、新しいキッチンペーパーでやんわりと水気を取り、程よい大きさの平皿などに乗せ、盛り付けるまで冷蔵庫に保存するのだが…まてまて…あなたの愛情が素材に向けられていたら気づく事だが、老婆心にて申し上げる。皮目が少しペタペタしたであろう？…魚の皮目は膠（ゼラチン）の塊である…しからば、湯に当たり煮溶けた膠のそのペタペタは冷蔵庫の中で更に固形化するのは道理。平皿に並べる時…下に更に新しいキッチンペーパーなんぞを気を利かせて敷く…なんて事をすれば、結果皮目に紙が張り付いて取れず、それを知らずに食べ…「…？……！……ぺっっぺっ！！」…てな事になる…ゆえに皮目は上にしなきゃならない…って事である。まぁこういう事は、ヤラカシテシマッテこそ骨身に染みるのであるから、失敗は成功のもとと笑い飛ばせばよろしい。ついでに言えば、刺身に切り分ける時、包丁はほんのり湿っている塩梅が、皮目が身から剥がれにくく、剥がれても始末ができる範囲で抑えられるコツである。塩梅とは曖昧な表現である…が…なぁーに、サッと水で包丁の刃を洗い、至極適当にタオルなどにポンポン…と当てる感じで上等であります。塩でムチっとしまっていますから身近にある柑橘の酸を掛け回して、塩や醤油…好みの塩分で食べたら……ほらね……目を見張ったでしょう？

イシモチは安い…図に乗って、ついつい沢山買ってしまったあなたは……正しい…♫慌てず騒がず、おおらかな気分にて全てを丁寧におろし、そして軽く塩をして冷蔵庫にてお休みいただくまで全てやってしまうが吉。刺身の分は湯霜にし、残りは冷蔵庫内の1番寒そうなところで保管すれば3日4日はおいしく食べることができ、既に塩は回っているので軽く胡椒など振りかけて小麦粉↓溶き卵↓パン粉と付けて中火でフライにしたら…これもまた止まりません！

イシモチ……すごい！

8月22日（土）晴れ

さらに小さくなった。
もうベランダにいるのが当たり前の顔。

8月26日（水）晴れ

夜洗濯物を干す時にベランダで見る。
なにも植えてない植木鉢を見るような気持ち。
描き終わったら
草が生えていている庭に置いてあげよう。

共生

Illust by Natsuko Kanzaki

231

8月28日（金）晴れ

水分が抜けて軽くなってきた。

9月7日（月）晴れ

匂いも重さもなにもない。

9月11日（金）晴れ

エアコンなしで眠れるようになった、涼しい。

月曜にもう一度描こうかな。

共生

Illust by Natsuko Kanzaki

9月15日（火）晴れ

カサカサというよりカチカチ。

りんごがどこにあるのかわかりにくい。

9月23日（水）晴れ

ピーマンの匂いがした！

9月24日（木）晴れ

指で押しても潰れないぐらい固い。
存在として安定しているように感じる。

共生

Illust by Natsuko Kanzaki

10月7日（水）晴れ

最初は2ヶ月ぐらいで描き終わるかと思っていたら
4ヶ月もかかった。
そのコントロールのできなさ、がおもしろかった。
虫がたくさん寄ってきて匂いもすごかった時は
熱狂みたいな雰囲気だったけど、
水分が飛んで石みたいになってきたら、
さみしいような、秋が来た時のような感じがする。
確実にりんごを好きになったと思う。
お店でりんごを見るといつもちょっと気にしてる。
最近「紅玉」を食べている。
かたくて酸っぱくてとても美味しい。

TALK

「お金」

思考記編集部 れみとかのこの 話す 編集後記

お金があるから見えないこと

かのこ（以下か）：お金について悩んでいることあります？

れみ（以下れ）：めっちゃあるよ〜。

か：え、なんですか？

れ：KUUMAを作ったのはお金が欲しいからちゃうやんか。でも、そういう考え方はマイノリティなんよね。だから私が普段やっている活動とかプロセスが、お金に繋がらないことに違和感を感じる人がいっぱいいるんよ。価値観は多様なほうがいいし、私みたいな考え方の人がパートナーやったら、我が家は倒産するかもしれんけど、こうも違うかあと思った時に、最初にお金の話になっちゃうと、議論が頭打ちになって楽しく話せないときもあるなと思うんよね。

か：ああ、ありますね。

れ：まぶくん（KUUMAメンバー）が、KUUMAで等価交換をプロジェクトとしてやったらいいんじゃないかって言っとったやん。例えば、パートナーの牧場の人たちからお肉をもらう。そういうのをほんまにやりたいなと思ってて。でもそれを想像した時に、肉やったら1週間で腐るから保存したり分け合ったりしにくい。お金じゃなかったら、不便なんやなって思ったんよ。でも、それは楽しさでもある。一個人やったら全然いけると思うんよ。私がフリーランスで仕事をしていて、「欲しいとき肉くださいよ」って言えたらすごくいいなって思う。けど、会社っていう仕組みを継続せなあかんって意識した瞬間、お金の便利さに依存してしまうんかもしれんなあと。

か：あー、確かに。この前ある会社と話をしたんですが、その会社の目標は上場らしく。社会を変える方法はたくさんあると思うんですけど、その中の一つに、大きくお金を動かせる企業になるっていうことが手段の一つとしてあるんやな、と。小さい企業やったら一人一人の、その人の生き方、働き方として発揮できる力100〜150％が企業の力になると思ってたんですが、人数が増えると一人の力じゃなくって、人数が集まったことで起きる力があるような気がするんですよね。力の増大の仕方が、個々人の力でパワーアップしているというよりかは、人数が集まったことで別の波を作り出せることになってるんちゃうかなって。

れ：なるほどね。大きな企業だからというより今の話は、さっき私が言った、個人やったらもっと身軽なのにっていうのに近いんかなと思ったな。手をつなぐ人がいっぱいいたら、社会に対する自分の責任が減ったと思う可能性があるなって。自分が頑張らなくても、何かしくじった時の個人の責任がすごく少なくなることは、大きい企業だとあるんじゃないかなと思う。必要なものを自分たちで作っていた時代は今よりもっと危機感が隣り合わせやったと思うけど、大きな組織であればあるほど、個々の危機感は小さくなるんかなぁと聞いてて思った。

か：責任が一個に縛られてない気がします。さりげなくは、すぐに潰れる可能性があるわけじゃないですか。

れ：かのこちゃんが今「潰れる」って言いながら笑っているのは、うちらが思っている〝潰れる〟が、〝お金がなくなる〟じゃないからやね、きっと。

か：ああ、そうですね。

れ：企業が潰れるのは大体、お金がなくなったからやと思うやけど、うちらにとって会社が潰れるって、この考え方が社会には通用しないってガーンと落ち込んだ時とか、理念を共感し合っていたチームが仲違いして、どうしてもこのチームでは継続ができないってときとか、そういうことが潰れるやと思うんよね。大事にしているところが違うのかもしれんなあ。

か：そうですね。別の話になっちゃうかもしれないですけど、私たち、目がめっちゃ悪いじゃないですか。何も見えなくなったらどうやって働いたらいいんやろうって最近めっちゃ考えてるんですよ。どうやってお金を稼ごうっていう軸でいくと、目が見えへんくなった時どうやって今の仕事をしたらいいんやろうって考えます。

れ：目だけじゃなくて、例えば、事故して下半身不随になるとか、私は物忘れが激しいから、アル

ツハイマーを意識してたまにすごく怖くなるんやけど、そういう、自分の当たり前に使っている機能が使えなくなるってほんまに全然あることだと思うんよね。最近は自分の家族の死を体験して、当たり前のように生きること、機能があることが普通じゃないって実感してて。当たり前がなくなった時どう楽しむかとか、自分はどう表現していくんやろうっていうのは考えるなあ。

か：うんうん。自分が作っているものが、目が見えている状態で作っているとか、耳が聞こえている状態で作っているものだ、限定がない中で作っているものだ、と最近よく思いますね。

れ：なるほどね。でも、私からしたら、かのこちゃんは十分限定されていると思うで。

か：え！

れ：身体的なものではなくて内面的なところで、思考の偏りを感じる時がある。それがユニークで個性的で、かのこちゃんらしさになると思うんやけどね。もともと表面的にあらわれていないけど、みんな何かしらの機能不全みたいなのはあると思ってるなあ。でも確かに目が見えなくなったら、もしかしたら職業は変えなあかんくなるかもなあ。

か：そうなんですよね。だから、もっと手を動かして本を作るのもやっていきたいなって思ったりします。やっぱり目の前の情報とかデータに頼って仕事をしすぎやなっていう不安はずっとあるんですよね。

れ：そうやね、めっちゃわかる。『空気と自立』の鎌田さんの原稿に引用されている、リトルフォレストの言葉があるやん。私もリトルフォレストを読んだ時、その言葉いいなあって思ったんよね。自分の経験した言葉やないと嘘っぽいって、そうじゃない言葉がすごく多いぶん、本当にそうだなあと。息子の名前を考える時にそう思って、自分の言葉を持って欲しいって意味の名前をつけたんよ。やっぱり、五感で感じた自分の体験を、どう価値にできるかってすごい大事やと思うなあ。

か：そうですねえ。

れ：お金があることの方が選択

肢が狭まるって最近聞いて。一見、お金があったら選択肢が広がるって思うやんか。例えば、今日みたいに花粉がすごい日に、お金があったら、病院へ行こう薬を買おうって選択肢がポンと出るやんか。だけどお金がなかったら、原っぱの何々という草がとても効くらしいって摘みに行ったりするかもしれんやん。摘んでる時に横でおじいちゃんが通りかかって、どうしたんや!とか。そこから、いや実は、みたいな話になって、おいお前こっちの方が効くぞ!ってなるかも。自分の想像していた答えとは違うかもしれないけど、選択肢はすごい多様になるんじゃないかと。面倒だし時間もかかって、なんなら答えには辿りつかんかも。けど、治ることが答えじゃないかもしれんやんね。

か：確かに。昨日から京都にくまさん（さりげなくメンバー）が来てるんですよ。くまさんはお金がないって言っていたので、お昼ご飯を事務所のキッチンで作るようにしたんです。くまさんは宮城にずっといたから、一緒に料理なんて作らないじゃないですか。だから、ご飯の話とか、にんじんを切る時の、皮つけたまま切りますか？みたいな話とか、今までだったら絶対起こりえない話が生まれました。それから、ときさん（事務所のオーナー）が食材を大量に持って来てくれて。明日から出かけるからこれ全部あげるーって。一緒にご飯を作って食べる話がなかったら、ときさんから材料をもらうことなんて無かった。それも花粉のおじいちゃんの話と一緒やなと思いました。

れ：そうやね。これはほんまに買わなあかんのやっけ？って、お金を使う前に一回立ち止まるのを、やってる。そういう選択を暮らしの中に増やしていくのはめっちゃ大事やね。

か：高木正勝さんの『こといづ』という本に、「あるんやから、もうあるんやから」というニュアンスの言葉があって。あれやこれやを思わなくとも、目指さなくても、もう十分、自分の周りにも、自分にもあるんやからって思いました。

思考記　2020-2021

二〇二一年一月三十一日　発行

思いつき　KUUMA
　　　　　さりげなく

編集　稲垣佳乃子
　　　濱部玲美
　　　熊谷麻那

装丁　古本実加

装画・扉絵　小島武

発行所　さりげなく
　　　　京都府京都市左京区下鴨北
　　　　茶ノ木町二五の三花辺内
　　　　電話　〇七〇ー五〇四二ー八八九六

印刷所　藤原印刷株式会社

製本所　加藤製本株式会社

ISBN987-4-9911129-5-9